D1482814

LA BEAUTÉ DES JOURS

"Domaine français"

DU MÊME AUTEUR

L'OFFICE DES VIVANTS, Le Rouergue, 2001 ; Babel n° 944.

MON AMOUR MA VIE, Le Rouergue, 2002 ; Babel n° 991.

SEULE VENISE, Le Rouergue, 2004 (prix Folies d'encre et prix du Salon du livre d'Ambronay) ; Babel n° 725.

LES ANNÉES CERISES, Le Rouergue, 2004 ; Babel n° 1053.

DANS L'OR DU TEMPS, Le Rouergue, 2006 ; Babel n° 874.

LES DÉFERLANTES, Le Rouergue, 2008 (grand prix des lectrices de *Elle*) ; Babel n° 1085.

L'AMOUR EST UNE ÎLE, Actes Sud, 2010 ; Babel n° 1315.

UNE PART DE CIEL, Actes Sud, 2013 (prix Terre de France) ; Babel n° 1277.

DÉTAILS D'OPALKA, Actes Sud, 2014 (grand prix de la Ville de Saint-Étienne).

CLAUDIE GALLAY

La beauté des jours

roman

ACTES SUD

*Le premier homme de la préhistoire
qui composa un bouquet de fleurs fut
le premier à quitter l'état animal : il
comprit l'utilité de l'inutile.*

OKAKURA KAKUZO

*Vivons avec précaution et responsabilité
car nous pouvons influencer ceux qui
nous entourent.*

KRZYSZTOF KIEŚLOWSKI

Une porte a claqué violemment quelque part dans la maison. Un coup sec. C'était le vent. Depuis le matin, les bourrasques couchaient les hortensias, emmêlaient les branches fines du saule. Une chevelure folle, on aurait dit.

Jeanne se trouvait dans le jardin quand elle a entendu le bruit. Comme toutes les fins de journée, après le travail, elle buvait un thé en regardant passer les trains, des TER lents qui venaient de Lyon. Rien que des habitués dans les wagons. À force, les visages lui étaient familiers.

De l'intérieur des wagons, on devait la regarder aussi, saison après saison, une femme dans son jardin, sa maison devait faire envie, surtout maintenant, au printemps, un tel pavillon fleuri.

La terrasse donnait sur l'enfilade des jardins voisins. Les rails.

À l'opposé, c'était la gare, et la ville derrière.

La gare, seulement deux voies.

Jeanne attendait que passe le 18 h 01.

Elle se prélassait sur le transat. On était lundi. Le lundi, Rémy rentrait plus tard, il entraînait ses minimes. Jeanne, de son côté, finissait plus tôt, elle avait quelques heures pour elle. Non pas que Rémy la gênât, mais elle aimait ces moments où la maison lui appartenait.

Le 18 h 01 est arrivé, en longeant lentement le bout du jardin.

Un homme aux cheveux gris voyageait tous les soirs dans ce train. Toujours du même côté. Même paysage. Jeanne aimait les gens d'habitudes. À cause de son allure, elle pensait qu'il était professeur. Une femme était dans le train suivant, elle portait souvent un chapeau bleu. Elle lisait. Ils étaient très élégants tous les deux. Dix-sept minutes les séparaient. Jeanne pensait qu'ils étaient faits l'un pour l'autre. Elle avait lu quelque chose sur le fait qu'on a tous quelque part sur terre une moitié parfaitement complémentaire et qu'on passe notre vie à la rechercher. Elle pensait que le professeur et la dame au chapeau bleu étaient les deux moitiés d'un même être, et qu'un jour ils se retrouveraient. Ce n'était pas impossible, la ligne était chaotique, il y avait souvent du retard, des incidents de personne on disait, il y en avait déjà eu plusieurs un peu plus en amont, vers Saint-Quentin. Jeanne aimait les retards. L'imprévisible qui surgit dans la vie. Pas dans la sienne. Dans la vie des autres. Quand tout bascule. Il suffisait d'un train supprimé, qu'un voyageur habitué au 18 h 01 se retrouve dans le suivant ? Hasard ou destin ? Elle imaginait, par une suppression malencontreuse – travaux sur la ligne, problème d'aiguillage… –, que le professeur et la dame au chapeau bleu seraient un jour réunis dans un suivant bondé. Par une bousculade, une proximité, eux qui n'auraient jamais dû se croiser se parleraient enfin.

Ces pensées occupaient beaucoup Jeanne.

Elle a étiré ses jambes au soleil.

Le 18 h 01 s'était arrêté et il était reparti.

Elle a attendu le suivant.

Jeanne était d'une nature heureuse. Tout l'émerveillait. Même les choses les plus simples. Le lever du jour. Le coucher de soleil. La pluie sur les vitres. Une abeille sur une fleur. Le jardin. En automne, le brouillard l'estompait, elle n'en voyait plus le bout. L'hiver, c'est la neige qui le recouvrait. Quand les filles étaient bébés, Jeanne les lavait dans un bac en plastique. Les filles avaient grandi. Jeanne avait gardé le bac. Mis dans le jardin. Plein d'eau de pluie. Les oiseaux venaient boire dedans. Les écureuils aussi. Un renard passait certains soirs, un peu après 23 heures. Une fourrure rouge, comme du feu. Jeanne aimait l'apercevoir.

La vie de Jeanne était bien rangée, c'était presque une vie immobile, elle pensait que c'était peut-être pour cette raison qu'elle aimait tant regarder passer les trains.

La mère lui avait appris qu'elle était faite pour mener une vie ordinaire, avec des rêves à la hauteur de sa condition. La mère disait, Tout le monde n'a pas la carrure, ma fille… Elle ne disait pas *carrure*, elle disait épaules. Tout le monde n'a pas les épaules.

Rémy a envoyé un texto pour dire qu'il serait un peu en retard. Jeanne s'est levée du transat. Elle a arrosé quelques fleurs et l'endroit de terre dans lequel elle avait planté des bulbes à l'automne précédent.

Rémy avait bâti un abri de jardin pour qu'elle range ses outils et il avait ajouté une petite terrasse en caillebotis afin qu'elle puisse tirer son transat mi-ombre mi-soleil. Rémy l'aimait. Et elle l'aimait aussi. Ils avaient construit leur vie sans jamais se quitter. À force de quotidien, ils s'étaient un peu confondus. Jeanne était heureuse qu'il soit le père de leurs filles merveilleuses et de vivre avec lui dans cette maison.

Cette année, comme toujours en mai, ils étaient partis trois jours au bord du lac, celui de Paladru, avec des amis, un couple semblable au leur, marié depuis longtemps et qui avait également deux filles. Rémy louait un gîte, toujours le même. L'été, c'étaient les vacances à Dunkerque. Deux semaines. Cap Gris, cap Blanc, Rémy avait de la famille là-bas, on les hébergeait. À Noël, il fallait rendre, c'est eux qui descendaient.

Jeanne aimait ce quotidien.

Un jour, ils iraient en Grèce. À tous les retours de Dunkerque, ils se promettaient ça. Ils avaient accroché un poster dans le vestibule, une île grecque au soleil, avec toutes les photos des filles.

Jeanne est entrée dans la maison.

Le courant d'air avait fait claquer la porte du couloir. Un cadre s'était décroché dans l'entrée. Un cadre en coquillages. Sous le choc, la vitre s'était brisée, les quatre morceaux de bois, éclatés.

Les coquillages, comme sur la plage.

Jeanne a râlé. Elle n'aimait pas casser les choses.

Le clou, en se décrochant, avait fait tomber de la poussière de plâtre sur le sol si parfaitement nettoyé.

Elle est allée chercher la balayette, elle a ramassé les éclats de verre, les coquillages, le bois, le plâtre.

La photo avait glissé sous le meuble. Elle a pensé que c'était une photo des filles ou de Rémy, il y en avait tout un pan de mur.

Le téléphone a sonné, c'étaient elles, les filles, elles appelaient pour dire qu'elles ne viendraient pas ce week-end. Un plan randonnée dans la Drôme. Depuis septembre, elles étudiaient le commerce à l'université de Lyon. Chloé et Elsa. Des vraies jumelles. Toujours ensemble. Les deux ailes d'un même oiseau. L'une sans l'autre, elles tournaient en rond comme un derviche. Jeanne les aimait énormément.

Elle les a écoutées raconter leur semaine. Pendant qu'elles parlaient, elle a coincé le combiné entre son épaule et son oreille et elle s'est baissée pour récupérer la photo sous le meuble.

Les filles ont raccroché. Jeanne a retourné la photo.

Ce n'était pas une photo des filles, mais de Marina Abramović, une artiste très spéciale qui avait beaucoup marqué Jeanne quand elle était adolescente.

Il y a longtemps qu'elle n'avait pas pensé à elle. La photo était là depuis toujours pourtant, dès qu'ils s'étaient installés, elle l'avait suspendue.

Jeanne s'est assise sur la marche.

C'est un professeur qui lui avait fait découvrir Abramović, l'année du bac. Il était fan. Fan ou fou ? Fasciné. Pendant tout un trimestre, il leur avait fait décortiquer son travail, ses débuts à Belgrade, dans une famille autoritaire. Ses parents ne l'aimaient pas. Ou pas assez. Une fille qui ne pleure pas sur son sort, mais qui utilise ses peurs.

Jeanne se souvenait d'une performance violente, quand Abramović, la main sur le sol, avait planté un couteau entre chacun de ses doigts, à une vitesse incroyable, c'était très choquant, malgré les doigts écartés elle s'était coupée, plusieurs fois, elle avait recommencé, une histoire d'erreurs à comprendre, parce que dans la vie tout va très vite aussi, si on se trompe ça fait mal.

Jeanne était plutôt douce, elle avait pourtant été fascinée.

Abramović s'était confrontée à tout ce qui la terrifiait, le froid, le feu, les serpents, la solitude, les autres. Ce qui fait peur doit être vaincu. Elle s'était exposée dans une étoile en flammes. Et après, avec Ulay, avec leurs deux corps, ils avaient parlé de la fusion du couple, de leur amour immense et de son inéluctable usure. Jeanne se souvenait, ils s'étaient giflés, heurtés, embrassés. Ils avaient noué leurs cheveux en une longue tresse très serrée, pour montrer que, quoi qu'ils fassent et malgré tous leurs désirs, leur tresse/amour finirait par se dénouer.

Et puis il y avait eu la longue marche sur la muraille de Chine, c'était la fin de leur couple. Une de leurs plus belles performances. C'est Marina qui avait eu l'idée, elle avait voulu transformer sa souffrance en quelque chose d'utile, donner un sens à leur séparation pour la rendre supportable. Elle était partie d'un bout de la muraille et Ulay de l'autre. Et ils avaient marché, longtemps, trois mois, l'un à la rencontre de l'autre, à dormir comme ils pouvaient, seuls, dans des hôtels ou à la belle étoile. Un jour, ils s'étaient aperçus. Là où ils s'étaient retrouvés, ils s'étaient parlé, s'étaient dit adieu et ils avaient disparu, séparés à tout jamais.

Le professeur racontait. La plupart des élèves s'ennuyaient, disaient que c'était du n'importe quoi.

Pas Jeanne. Jeanne était intriguée, elle se sentait concernée, elle écoutait le professeur, il débordait toujours sur l'horaire, elle ne s'en allait pas.

Jeanne s'était beaucoup intéressée à cette fille si particulière.

Jeanne, sortie de sa campagne.

Pour clore l'année, le professeur avait organisé un voyage à Paris, Abramović était de passage au musée Pompidou, c'était une chance inespérée, ils pourraient la voir en vrai, l'écouter, lui parler, l'interroger! Le rêve! Mais Jeanne n'y était pas allée, ça coûtait trop cher. Que c'était trop cher, ce n'est pas ses parents qui le pensaient, c'était elle, Jeanne. Elle ne leur avait même pas parlé de ce voyage, ou alors un soir, à peine, négligemment. Elle avait vite regretté, mais trop tard.

De ce voyage, le professeur lui avait rapporté une carte postale dédicacée de l'artiste, carte éditée à partir d'une photo prise à Naples le soir de la performance folle.

Jeanne avait gardé la photo longtemps, dans sa chambre de fille, protégée dans un cadre de coquillages. Elle l'avait emportée avec elle ensuite, dans le mariage. Rémy avait retapissé plusieurs fois. Elle avait toujours remis le cadre. Au milieu des autres. Les photos nombreuses des filles. Celles de Rémy et de Jeanne.

Avec, au-dessus, tout en longueur, le poster du coucher de soleil en Grèce devant lequel s'extasiaient tous les amis.

Jeanne a glissé la photo dans un livre.

Au mur, il restait une trace claire là où il y avait eu le cadre.

Depuis quelques semaines, elle ressentait une douleur dans l'épaule. Le médecin avait dit que ce n'était pas physique. Que c'était à l'intérieur d'elle. De son cerveau. Il lui avait cependant prescrit une pommade et indiqué quelques mouvements, dont une position relaxante à prendre tous les soirs après le travail.

Elle a déroulé le tapis sur le sol, s'est mis le corps en équerre, les jambes au mur et elle a attendu le retour de Rémy.

Il y avait une petite fuite à l'évier. L'eau gouttait. Elle l'entendait. Rémy allait entendre lui aussi. Il réparerait. Rémy savait tout faire. Quand les filles étaient nées, il avait abattu une cloison et, de deux chambres, n'en avait fait qu'une.

Rémy était magasinier chez Auchan dans la zone nord, il transportait des cartons avec une machine. À la maison, il s'occupait du dehors. Le garage était son domaine. Le jardin, la haie, le potager. Il régnait en maître sur le dehors. De la même façon que le père de Jeanne.

Le plus souvent, les hommes sont du dehors. Les femmes sont plutôt du dedans.

Jeanne était du dedans.

La mère de Jeanne était des deux, à cause de la ferme.

La porte s'est ouverte. C'était lui. Encore en tenue de sport. Il a posé son sac, les clés.

Tout de suite, il a vu le mur.

— Y avait quoi, là?

— Une photo de Marina.

— Marina? Ta cousine?

Jeanne a ri. Elle a roulé sur le côté.

— Non… Marina Abramović. Je t'en ai déjà parlé.

Il ne s'en souvenait pas. Il a regardé la photo qu'elle avait glissée dans le livre. Il a dit qu'il avait toujours cru que c'était quelqu'un de sa famille.

Elle lui a expliqué, une artiste serbe qui s'était flagellée, lacérée, congelée, qui avait défié toutes ses peurs…

Il s'en fichait un peu, l'art, ce n'était pas son truc.

Il a reposé la photo.

Il a passé la main sur la surface du mur, là où le clou avait détaché le plâtre. Il a dit qu'il reboucherait quand il ferait les travaux de la cuisine. Qu'il repeindrait aussi. En attendant, ce serait bien de mettre une autre photo dessus, à cause de la tapisserie jaunie.

Il est passé dans le salon, il a allumé la télé, chaîne des infos.

Jeanne est restée un moment, les genoux ramenés dans les bras. À regarder le rectangle de lumière, format 24 par 12.

Après dîner, comme à l'habitude, Jeanne a pris soin de tout préparer pour le lendemain, les bols du café, le pain suédois, les céréales, ses vêtements pliés sur la chaise, chaussures, sac, clés.

Ces choses faites, elle a branché l'ordinateur. L'ordinateur était familial, il trônait dans le salon.

Rémy regardait un film policier.

Elle a tapé Marina Abramović. Le moteur de recherche lui a sorti 879 000 réponses en trois secondes. Elle a lu des interviews. Avec *Naples*, Abramović avait mis sa vie dans les mains de gens qu'elle ne connaissait pas. Elle avait voulu savoir jusqu'où on pouvait aller, tout ce qu'on pouvait faire à quelqu'un qu'on ne connaissait pas. Et elle avait voulu montrer que le corps est capable de supporter, d'endurer. Elle avait disposé des objets sur une table, du vin, du miel, un revolver, une balle… Soixante-douze en tout.

Elle l'avait écrit sur une feuille : *Je suis un objet, utilisez les objets même la balle si vous voulez me tuer, et j'en prends toute la responsabilité.*

Elle ne résisterait à rien.

Elle avait posé la feuille bien en vue, avec tous les objets, dont cette rose que sur la photo du cadre, elle tenait dans sa main.

Timbres, colis, versements, retraits, à la poste c'était le quotidien de Jeanne. Des tâches monotones et sans grande surprise. Elle répondait aussi au téléphone.

Son guichet était face à la porte d'entrée. En plein courant d'air. Au guichet voisin, il y avait M. Nicolas. M. Nicolas était un employé modèle, il était le supérieur de Jeanne, il arrivait toujours au travail avant elle. C'est lui qui ouvrait les portes. Jamais avant l'heure. Jamais après. C'est pour ça qu'il fixait la pendule. Vingt-trois secondes, c'est le temps qu'il lui fallait pour quitter son guichet et marcher jusqu'à la serrure. Jeanne avait essayé plusieurs fois de le distraire, il suffisait de quelques secondes, qu'il détourne son regard. M. Nicolas était un homme très concentré, on ne le prenait pas facilement en faute. C'était un homme prudent, il avait exigé une sonnette reliée au commissariat. Il était aussi très prévoyant. Il avait des stylos. Trois d'avance. Posés l'un à côté de l'autre. Après le travail, il les rangeait dans un petit tiroir qui fermait bien à clé.

L'après-midi a été calme. Jeanne en a profité pour faire la liste des courses. Quoi pour dîner. Et quel cadeau acheter pour les dix ans de Zoé? Elle a pensé à d'autres choses. À 15 heures, il n'y avait plus personne. Elle a eu envie de s'en aller.

Elle a fait la liste de ce qu'elle aimerait faire et qu'elle ne faisait pas, comme partir à pied et marcher tout droit, s'arrêter sur une aire d'autoroute et y rester autant qu'elle voudrait.

Ou bien garder un œuf dans ses mains et attendre vingt jours qu'il éclose. Ça, elle aimerait !

Elle était au soleil, sur le transat. Les yeux fermés. Elle avait entendu la porte. Elle a tendu la main, paume au ciel. Tous les mardis, Rémy lui offrait un macaron, parce qu'il y a longtemps elle avait dit qu'elle aimait ça. Ou qu'elle adorait. Elle avait dû exagérer sur le plaisir – elle exagérait toujours les compliments –, depuis, c'était l'habitude, il faisait un détour par chez Durif. Chez Durif, ils avaient une série de vingt parfums, Rémy respectait scrupuleusement l'ordre, et n'avait jamais raté aucun mardi.

Chocolat, caramel, framboise, cassis, violette, citron… Après la rose, elle savait, c'était la mirabelle. Le jeu c'était qu'elle devine, croûte craquante, cœur fondant, elle fronçait, hésitait. Elle connaissait la série par cœur, rien que du prévisible.

Elle a fait danser ses doigts.

Rémy lui a embrassé la paume. Pas de macaron aujourd'hui.

— Je n'ai pas pu aller en ville, c'était le bordel…

La paume est restée vide. Elle a refermé tous les doigts, lentement, l'un après l'autre.

Elle a lu les premières lignes d'un roman emprunté à la bibliothèque, avec la photo du cadre comme marque-page.

Après, elle a réfléchi.

Rémy avait dit qu'il repasserait chez Durif, le lendemain, mais le lendemain ne serait pas un mardi. Fallait-il changer le jour ? Et puis, dans ce cas, quel parfum choisir ? Acheter le mirabelle prévu ou bien le considérer comme irrémédiablement perdu et poursuivre la série ? Tout devient très compliqué quand les choses ne suivent pas leur cours. Jeanne aimait les choses rangées. Fallait-il revenir sur ce qui avait été raté, ou bien poursuivre, et, dans le cas présent passer au parfum suivant, faire comme s'il n'y avait pas eu l'empêchement de Rémy à l'achat de ce qui convenait et au bon déroulement de l'ordre des choses ? Il y avait mirabelle et puis orange. Orange donc ? La série serait dans ce cas bancale et décalée et Jeanne devrait admettre ce trou béant, cette claudication malheureuse dans une série jusque-là parfaite.

À moins que Rémy n'en décide autrement et ne prenne le mirabelle ? Elle avait entendu parler de l'effet papillon et du pouvoir parfois perturbateur des petits riens quand ils sont dérangés.

Ils avaient prévu de passer le week-end tranquille, de se faire un cinéma, un restaurant peut-être, avec les amis. Ne pas se coucher tard. Mais c'était compter sans les filles. Elles ont téléphoné, leur plan randonnée dans la Drôme était tombé à l'eau. Elles arrivaient. Oui, elles prévenaient au dernier moment, elles étaient déjà en route.

Faire caraméliser les quetsches. Jeanne a étalé la pâte. Sortir le rôti. La fenêtre était ouverte. Les trois frères Combe étaient déjà sur le trottoir. Dès qu'il faisait beau, ils squattaient l'impasse. Ils avaient des sacs pleins de gâteaux, des gros paquets qu'ils ouvraient avec les dents. Ils se marraient en se partageant tout ça. C'étaient des gamins maigres et sans rien, l'abondance n'était pas leur habitude.

Jeanne a refermé la fenêtre. Tout de suite après, les filles ont déboulé avec leurs rires et leurs sacs.

Dans les sacs, le linge sale de la semaine.

Jeanne a sorti le linge, elle a fait tourner une machine. Rien que des habits légers. Pas d'essorage, il faisait beau, les tissus sécheraient au vent.

Les filles voulaient manger vite pour aller faire un tour en ville. Chacun a pris sa place autour de la table. Chloé et Elsa ont raconté leur semaine, les études, les soirées, les amis. Elles cherchaient un job pour juillet. En août, elles voulaient aller en Espagne ou bien à Saint-Malo, elles ne savaient pas trop.

Elles avaient acheté des tatouages éphémères et ont montré les motifs gothiques décalqués sur leur peau si parfaite. Jeanne les écoutait. Elle les regardait. Elle a découpé des parts larges dans la tarte encore tiède. Les filles, deux louves gaies et dévoreuses. Elles étaient un tourbillon de vie après la semaine calme. Jeanne les aimait. Elle les aimerait toujours. Quoi qu'elles fassent. Ce lien d'amour était indestructible.

À peine arrivées, déjà elles repartaient. Elles n'ont pas remarqué le cadre blanc, pourtant elles sont passées plusieurs fois dans le vestibule.

Jeanne a étendu leurs jupes courtes, les tops et les tee-shirts. Les frères Combe étaient toujours sur le trottoir. Leur mère habitait dans le centre. Le quartier était sans fioriture, personne ne comprenait pourquoi ils venaient. L'aîné vivait avec une casquette vissée sur la tête. Du tissu épais et crasseux. À croire qu'il dormait avec. Le plus jeune avait le visage plat. Un bec-de-lièvre mal opéré. Celui-là ne lâchait pas son vélo.

Jeanne s'est occupée des fleurs dans le jardin, les pivoines et les œillets de poète.

Le vent faisait bouger les jupes sur le fil. Jeanne aurait pu dessiner le corps des filles. De mémoire. Elle l'avait fait, il y a longtemps, un découpage avec du carton, deux pantins grandeur nature, les jambes des jumelles, leurs bras graciles, elle avait tout fait tenir sur la corde à linge avec de la ficelle et des pinces.

Rémy avait regardé les filles en carton.

Les gens des trains aussi avaient dû regarder.

Jeanne est *montée chez elle* après le travail.

Elle disait ça, *Je monte chez moi*, pour dire la campagne où elle était née. C'étaient vingt petites minutes en voiture. Une maison presque dans la forêt. Des fois, elle disait *là-bas*, parce que c'était en dehors des grandes routes, un bout du monde, un lieu muet.

Elle disait aussi *à la ferme*, ou *chez ma mère*. Alors qu'il y avait son père aussi. Et aussi la M'mé.

Il y avait Emma la sœur de Jeanne, son mari et leurs filles, Lisa et Margot, et Zoé, la plus jeune. Leur maison était bâtie sur une terre mitoyenne au jardin. La cour était commune. Avec les bêtes, les apprivoisées et les autres. Les autres creusaient des trous, elles tuaient les poules, mangeaient les œufs.

Certaines nuits, le ciel était étoilé comme dans les très grands déserts. Jeanne n'était jamais allée dans le désert.

Elle imaginait.

La fin de journée s'éternisait dans la chaleur. Rémy avait entrepris de décaper les chaises du jardin, il en faisait un peu tous les jours. Jeanne aurait préféré les changer mais il disait que le fer était encore bon.

Il avait acheté une peinture spéciale, après ça elles seraient comme neuves. Il a appelé Jeanne pour lui montrer.

Il voulait profiter des vacances d'été pour repeindre la cuisine. Il a parlé des petits travaux à faire, comme remplacer le vieux placard et l'évier.

Et si on changeait aussi la gazinière ? On pourrait acheter un piano de cuisson ? C'est bien, les pianos de cuisson.

Avec tout ça, ils n'iraient peut-être pas à Dunkerque cette année.

Le train est arrivé en gare. Le professeur était dans le wagon de queue, son profil derrière la vitre taguée. La dame au chapeau bleu était dans le train suivant. Comme ils ne se levaient pas, Jeanne en avait depuis longtemps conclu que ni l'un ni l'autre ne descendaient en gare de B. mais qu'ils allaient plus loin, à La Tour ou bien à Saint-André.

Les frères Combe faisaient de l'équilibre dans l'impasse, à deux sur le vélo du petit. Avec la radio portable. La musique à fond. Des basses insupportables qui résonnaient contre les murs des maisons.

Rémy est sorti leur dire de foutre le camp mais les cons c'est comme les chiens, ça revient toujours à leurs rues. Ceux-là avaient leurs habitudes ici. Le plus grand avait un regard vide, ce vide l'autorisait à tout, même à pisser contre les murs. Pour qu'ils changent de quartier, Rémy avait répandu du répulsif. Du répulsif contre la connerie. L'odeur était partie avec la première pluie. La bande était revenue.

Jeanne pensait qu'ils s'en iraient l'hiver suivant, avec les premiers froids.

Elle a tapé contre la vitre, le dîner était bientôt prêt. Elle s'est occupée des papiers, des comptes, a classé les factures. Elle n'était pas à l'aise avec tout ce qui était administratif. Au dernier réveillon, ils avaient tous pris de bonnes résolutions, elle avait promis de s'occuper davantage des choses administratives. Rémy voulait sortir un brochet du lac.

Rémy est venu se laver les mains. Il a embrassé les joues de Jeanne. Il disait que, même par fortes chaleurs, elles étaient fraîches.

Il disait aussi que, dans quelques années, ils pourraient vendre la maison et en acheter une plus petite. Une nouvelle maison ? À quel endroit ?

Jeanne était incapable d'une telle décision.

Ils ont dîné en parlant de la journée et puis de la semaine.

Avant de se coucher, Jeanne est restée quelques minutes devant le cadre blanc du couloir.

Le lendemain, elle a écrit, sur une carte qui représente une chouette blanche :

Lettre n° 1

Chère Marina,

Je suis allée acheter cette carte en ville. Il m'a fallu du temps pour la trouver, je ne voulais pas un paysage. Je l'ai choisie car je pense que ce genre de chouette se trouve là où vous vivez, dans la baie d'Hudson.

J'aurais voulu vous écrire en vert car j'ai lu que vous aimiez le vert, mais la bibliothécaire a refusé de me prêter son stylo. Elle dit qu'on ne les lui rend pas. Elle a refusé aussi de me faire une sortie sur papier d'une photo de vous prise avec vos couteaux à Édimbourg (1973). Elle dit que ça prend trop d'encre. J'ai proposé de payer mais rien n'y a fait. (Entre nous, quelle folie, ce que vous avez fait avec ces couteaux !)

Je vous donne mon adresse, si vous pouviez me répondre.

Avant de cacheter, elle ajoute :

PS : J'ai trouvé votre adresse sur internet, j'espère que c'est la bonne. Si ce n'est pas le cas, le facteur aura sûrement la gentillesse de vous faire suivre.

Elle aurait voulu écrire d'autres choses mais il n'y avait plus de place.

Rémy s'était approché sans faire de bruit, il regardait par-dessus son épaule, la main et la carte.
— À qui tu écris ?
Jeanne a retourné la carte, côté image.
Elle a dit, C'est pour l'anniversaire de Sylvie.
Sur le bureau, il y avait son carnet, un cadeau des filles, un petit format avec une ganse pour le crayon et la couverture en cuir.
Elle voulait recopier la lettre. Et être seule pour faire cela. Il fallait que Rémy s'éloigne, la laisse dans ce tête-à-tête, mais il ne s'éloignait pas.
Lui, il voulait parler de la cuisine. Des couleurs. Le voisin avait mis du taupe dans son salon, c'est ce qui se faisait aujourd'hui, mais un salon, ce n'est pas une cuisine, d'un autre côté leur cuisine ouvrait sur le salon… Il a proposé un ocre pour le mur du fond, avec un taupe pour le reste. Comme les filles ne venaient pas le week-end suivant, ils pourraient aller voir chez Brico, les papiers peints, on en faisait de beaux aujourd'hui ? D'un autre côté, le papier peint semble moins pratique pour une cuisine.

Il lui fallait dix-neuf minutes pour se rendre sur son lieu de travail. Comme elle partait toujours à la même heure, elle croisait toujours les mêmes gens, les employés des banques et ceux des boutiques. La fleuriste, le sommelier. Elle se disait qu'un jour, il faudrait qu'elle modifie son itinéraire, elle prendrait une autre rue, croiserait d'autres visages.

Un jour, elle ne savait pas quand.

Quand elle est arrivée, il y avait déjà des clients à la porte. Des impatients, collés à la vitre pour ne pas se faire prendre leur tour. Ils ont regardé leur montre, mais Jeanne n'était pas en retard.

Elle a glissé la carte de la chouette dans la boîte, destination Étranger.

La M'mé le dit, Les mères donnent la vie, aux enfants d'avoir le talent. Le talent de postière ? Jeanne s'est amusée à classer ses clients : il y avait les sympathiques, les colériques, les dragueurs, les solitaires, les tristes, les résignés, les prêts à s'effondrer et les âmes légères, des qui venaient pour parler, passer un moment, se raconter.

Elle consignait tout dans son carnet.

Comme elle aimait la bonté, elle a cherché les bons. Quand elle en trouvait un, elle mettait une croix. Une croix avec rien. Elle a créé une page spécialement pour ça.

En fin de journée, ses pieds étaient gonflés. Elle avait mal au dos. Elle est rentrée chez elle en bus. Elle ne s'est pas plainte. Elle a juste avoué à Rémy qu'elle était un peu fatiguée.

Il était tard, Rémy suivait la fin d'un débat politique, les élections, la Syrie, Trump… Ses pantoufles
étaient sur le tapis, des charentaises sombres qu'il
usait l'hiver et finissait l'été. Rémy avait une vision
vaste du monde. Jeanne était plutôt dans les détails.

Elle est sortie sur la terrasse. L'air du soir était
printanier.

La lune était pleine, elle faisait briller les câbles
électriques au-dessus de la ligne de chemin de fer.
Les étoiles déversaient leur lumière.

Elle a guetté le renard.

À la ferme familiale, c'était par ciel plein qu'elle
les voyait, les étoiles. Le soir, elle sortait pisser dans
le pré. La lumière lui tombait dessus. Elle avait
grandi avec ça.

Elle a écrit dans le carnet (après la lettre recopiée
de M. A.) : Les WC modernes nous ont détournés
de la beauté des ciels.

Jeanne a traversé l'impasse avec une part de tarte aux fraises qu'elle apportait à Suzanne. Son amie habitait au 12, la dernière maison juste avant les friches du terrain vague. Depuis que son mec était parti, elle broyait du noir. Le chagrin lui faisait des cernes. Il l'avait plaquée, après sept ans de vie commune. Suzanne a rabâché l'histoire en mordant dans la tarte. Des fraises énormes, sur une couche de crème pâtissière.

— Cinq minutes ça lui a pris, l'enfoiré… J'ai rien vu venir.

— Vous vous engueuliez pourtant.

Elle a haussé les épaules. Jef, ce n'était pas un type bien, il sortait, il buvait, il fumait de l'herbe aussi.

— Bon débarras, elle a dit. Je suis libre, enfin… Je peux faire ce que je veux maintenant, sortir, danser, rentrer tard, plus de comptes à rendre à personne, tu te rends compte de ma chance ?

Elle répétait tout le temps ça. Trop souvent pour que ce soit vrai.

Elle avait les yeux mouillés.

— Elle est bonne, ta tarte…

Suzanne travaillait à l'hôtel du Centre, elle faisait les chambres et servait les petits-déjeuners. Pas un caractère à se laisser faire.

Mais là, elle était un peu cassée.

— On dit qu'il a rencontré une fille. Une Portugaise.

Que c'était une Portugaise, c'est une serveuse de l'hôtel qui lui avait dit. C'était venu comme ça, j'ai vu ton Jef au Monoprix. Elle n'était pas certaine, mais quand même, oui, ça devait être lui. Il était avec une fille. Suzanne a voulu savoir comment était la fille. Petite. Très brune. Asiatique? Portugaise.

Son téléphone a sonné. Elle a sursauté. Ça s'est vu qu'elle aurait aimé que ce soit lui.

Suzanne était costaude et grande. Être grande est un avantage, mais pas si on se tient voûté.

— Tu devrais les attacher, a dit Jeanne, à cause de ses cheveux qui pendaient. Te tenir droite aussi…

C'est pour ça que Jeanne l'a emmenée à la ferme, à cause du chagrin et aussi parce que, dans la conversation, Suzanne avait dit qu'elle n'avait jamais vu de vaches en vrai. De près, elle voulait dire. Des fois, en train ou de la route, mais elle n'en avait jamais touché une.

Quand elles ont traversé le village, Suzanne a dit, C'est beau la campagne. Et puis Jeanne a pris par la colline, une route dans la forêt. Une montée en virages jusqu'au plateau des hauteurs, de là, il fallait rouler encore entre les champs interminables de maïs assoiffé. La ferme était tout au loin, après un dernier champ, dans l'isolé du vallon final.

Quelques maisons. Et d'un coup, plus de goudron. La route se finissait dans la cour parentale.

Une cour carrée, cernée de bâtiments agricoles. Autour, des prés à vaches. Un immense pylône électrique, les pieds de fer plantés dans la pâture, une laideur. Le prix à payer, avait dit l'ingénieur, pour amener l'électricité jusque-là.

Autrefois, au temps du grand troupeau, les bêtes se couchaient à l'ombre des blocs en béton qui enchapaient les pieds du pylône.

Suzanne a mis un temps à ouvrir la portière. Elle, elle était de la cité, celle des ouvriers. La campagne, elle n'avait pas l'habitude.

— Alors c'est là qu't'es née…

Le voisin d'en face a tiré son rideau pour voir. Le père était au tas de fumier, il a tourné la tête. Il faisait brûler les papiers, ceux des journaux et aussi les emballages en carton, tout ce que le feu pouvait manger, même le plastique. Il s'en foutait des interdits et de la fumée noire. Lui aussi a tourné la tête, en ramenant la paille sale, doucement, au râteau, pour ne pas étouffer les flammes.

La mère avait entendu l'auto, elle était sortie. Jeanne l'a embrassée. La mère était une douce. Du père, on disait que c'était un taiseux, un pas facile, Jeanne ne l'embrassait pas, c'était un regard, un hochement de tête.

Suzanne a serré la main du père et de la mère aussi.

— Elles sont bien belles, vos fleurs, elle a dit à cause de la glycine ancienne et des trémières qui poussaient à la sauvage.

Elle a eu un mot pour le chien.

Et aussi pour la M'mé qui était à l'intérieur, à se lécher les dents, encore dans la robe de chambre, on était pourtant loin du matin.

La télé était allumée.

La mère a préparé du café, elle le faisait toujours très fort quand il y avait des invités, pour pas qu'on dise qu'elle économisait. Le père est resté à son feu. Seules les femmes. Autour de la table. La nappe en plastique.

Jeanne était la première-née d'une fratrie de quatre.

Quatre filles.

Des fendues.

Il y avait les photos sur la télé.

Suzanne a bu sans broncher le café trop fort. Elle est allée regarder les photos.

Après le café et les mots d'usage, elles sont ressorties. C'était une ferme sans grande séparation entre la vie des hommes et celle des bêtes.

La vache était encore dans l'écurie. À midi, le père la sortirait au pré. En contre-jour, la porte se découpait en un rectangle noir.

Elles se sont avancées.

L'air chaud sentait l'urine.

La bête attachée a tourné la tête. La paille était propre sous le ventre.

— C'est comme qui dirait sa chambre, a dit Suzanne en posant la main sur le dos de l'animal.

Cette vache était la dernière de tout un troupeau. Il y en avait eu plus de vingt du temps de la force des parents. Au printemps, avec les veaux, c'était trop de travail, des douze heures par jour, des couchers tard, des levers tôt.

Du troupeau, il restait les abreuvoirs et les chaînes.

— Comment qu'elle s'appelle ?

Toutes les vaches de la ferme avaient reçu des noms de filles. C'était la réglementation. Celle-ci se nommait Rose.

Ça a fait marrer Suzanne.

— Comme ma tante…

Elle a touché le ventre.

La Rose avait fait de nombreux veaux. Et elle en faisait encore. À chaque printemps. Des naissances sans taureau. C'est le vétérinaire qui œuvrait, Jeanne l'avait vu faire, souvent, il soulevait la queue, enfonçait son bras long dans le dedans animal, du poing jusqu'au plus haut de l'épaule. Sous l'intrusion, la bête tendait le cou. La main déposait la semence dans le profond. De cet engrossement sans poésie naissait pourtant un veau.

Pour chaque naissance, le père remplissait les papiers de son écriture fine.

Suzanne s'est reculée pour voir la bête dans son ensemble.

— Comment qu'elle y voit, en noir ou en couleurs ?

— En couleurs, je crois…

— Tu crois ou t'es sûre ?

— Je suis sûre.

— Pourquoi t'es sûre ?

— Les boutons-d'or, c'est jaune, elle ne les mange pas, c'est donc qu'elle voit les couleurs.

— Ça ne veut pas dire qu'elle les voit. C'est peut-être l'odeur.

— Ça n'a pas d'odeur, les boutons-d'or.

— P't-être que pour les vaches, ça en a ?

Suzanne a collé son oreille contre la panse lourde. Elle a écouté le dedans.

Elle s'est redressée.

— Et si un jour elle ne fait plus de veau, il se passera quoi pour elle ?

Jeanne n'a pas répondu.

Elle s'est assise sur le rebord en bois de la longue mangeoire. Des brins de paille obstruaient l'abreuvoir, elle les a retirés. Elle en a gardé quelques-uns, les a lissés avec ses doigts.

Suzanne s'est assise à côté, avec la tête de la vache entre les mains.

— Vous faites quoi, vous, cet été?

— Sûrement Dunkerque. Mais Rémy veut repeindre la cuisine, alors si ça se trouve, on n'ira pas.

— C'est bien Dunkerque?

— Ni bien ni mal, on a nos habitudes. Et toi?

— Je ne sais pas. Maintenant qu'y a plus Jef…

— Tu connais bien d'autres gens?

— Oui, bien sûr, mais de là à partir avec eux.

— Tu pourrais partir seule.

— Seule?

— Pourquoi pas? Tu pourrais venir avec nous aussi.

— À Dunkerque?

— À Dunkerque oui. Tu pourrais rencontrer des gens là-bas. Il y a la plage. À moins que tu ne préfères passer l'été sans personne…

— Non, je préférerais rencontrer quelqu'un. De toute façon, je vais bien trouver une solution. Et si je n'en trouve pas, je resterai seule.

Suzanne caressait la vache. Elle lui grattait le front avec les doigts. Elle a gratté un long moment sans rien dire. Et puis :

— À ma place, toi, tu ne voudrais pas savoir la tête qu'elle a?… Hein, tu ne voudrais pas?

Jeanne ne voulait pas se mêler de ça. Elle a dit, C'est personnel, il y en a qui veulent et d'autres pas.

— Moi, j'aimerais bien, ça m'éviterait d'y penser.

La vache lui respirait l'intérieur des mains. Son museau gluant de bave mouillait la manche de sa chemise. Suzanne s'en fichait.

— Tu l'as vu venir, toi ?

— Quoi ?

— Qu'il allait se barrer ?

— Oui, un peu quand même.

— J'ai rien vu. Un fils de pute. La veille, tu le suces et le lendemain, il te plaque, c'est ça l'histoire… Quoi, c'est pas vrai ? Moi, je pensais que notre amour durerait toujours. Mais ça ne dure pas. Y a rien qui dure.

— Tu n'as qu'à lui rendre la pareille.

— Quoi ? Tromper Jef ? Non, ça, je ne pourrais pas… Et avec qui ?

Au fond, elle croyait qu'il allait revenir. Elle disait ça, qu'il allait revenir, à cause du lit. Elle le répétait, qu'elle savait ce qu'il aimait au lit. Que sa Portugaise ne pouvait pas savoir. Que c'était juste une histoire de bite, cette fille, rien à voir avec l'amour, elle lui pardonnerait.

Elle a tourné la tête vers Jeanne.

— Et toi, ça va en ce moment, avec Rémy ?

Jeanne n'a pas répondu.

Qu'est-ce qu'elle pouvait dire ? Ils baisaient, oui, encore, mais pas comme avant, et pas aussi bien.

Suzanne n'a pas insisté. Elle a dit qu'elle en avait fini avec la vache et elles sont sorties de l'écurie.

Une eau rouge suintait du fumier et coulait en fines rigoles. Jeanne a marché dans la flaque. Le purin s'est insinué entre la semelle et la plante de son pied. Elle a pesté. Elle est allée au bassin. Elle a fait couler l'eau, le pied sur le rebord.

— C'est qui, c't' épouvantail ? a demandé Suzanne.

Jeanne a levé les yeux.

Le voisin était dans son jardin, avec sa pelle, de l'autre côté de la route.

— Un connard.

— Et pourquoi que c'est un connard ?

— Il tue les hirondelles.

— C'est pour ça qu'il a la pelle ?

— Oui. Il les saisit au vol.

Suzanne a froncé les sourcils.

— Et pourquoi qu'il fait ça ?

— Il dit qu'elles mangent ses graines.

— Et vous, vous dites quoi ?

— Qu'est-ce que tu veux qu'on dise ?

— Moi, les hirondelles, j'aime bien, elles s'en vont mais on sait qu'elles reviennent.

Le pied de Jeanne était propre. Elle l'a essuyé avec le torchon que la mère laissait près du robinet, en cas de besoin. Elle a nettoyé aussi la surface souillée de la semelle.

Elle a remis sa chaussure.

Suzanne a baissé les yeux.

— Ben voilà aut'chose… C'est qui celle-là ?

Zoé était sortie de l'ombre. Une approche en silence.

— La petite dernière de ma sœur.

Zoé portait un tee-shirt informe imprimé sur le devant d'une énorme tête de Donald. Ses cheveux étaient noués en deux tresses, les bouts maintenus serrés avec du sparadrap.

Elle s'est collée contre la jambe de Jeanne.

Suzanne s'est attardée sur le tee-shirt. Et puis elle est revenue au visage. Les tresses.

— Et comment qu'on l'appelle ?

— Zoé.

— Et elle a pas de langue, Zoé ? Elle sait pas que c'est jamais bon de laisser les autres répondre à notre place ?… Et pourquoi qu'elle est trempée comme ça ?

— Elle sue quand elle a peur.

— Et c'est quoi qui lui fait peur ?

Jeanne a ri. Suzanne est une vraie gentille mais ça ne se voit pas au premier regard. À cause de sa grandeur et de sa façon de parler un peu brutale.

Contre la jambe de Jeanne, Zoé s'est détendue.

La mère a donné des œufs dans une corbeille. C'étaient des œufs lisses et doux. Suzanne a pris la corbeille contre elle. Une fois dans l'auto, elle a dit, Je l'aime bien, ta famille… mais la p'tite, elle a quand même un problème.

M. Nicolas s'est levé pour aller chercher un colis dans la réserve. Il portait toujours le même pantalon, un peu court sur les chevilles. Et des chemises à petits carreaux. Jeanne l'a suivi des yeux. Elle savait très peu de choses de lui. À quelques conversations entendues, qu'il était marié, avait deux garçons et une douce chienne pointer qui s'appelait Amande.

Elle passait pourtant 35 heures par semaine à côté de lui. Et depuis deux ans. À raison de 7 heures par jour, 35 heures par semaine. 140 par mois.

Cinquante-quatre semaines, moins les jours fériés, les jours de congé. Elle a fait le calcul. Elle a trouvé 3 430. C'étaient des heures. Les heures de présence à côté de M. Nicolas. Le chiffre était ahurissant ! Elle avait dû se tromper. Elle a recommencé. Elle est retombée sur ce même constat. M. Nicolas était revenu à son guichet. Elle a fait glisser la feuille vers lui. Elle lui a tapoté le coude avec son doigt.

— Encore 13 heures et on sera à 3 443 heures d'existence l'un à côté de l'autre.

M. Nicolas a haussé les épaules.

Elle a insisté. Il y avait des clients. Elle a chuchoté.

— 3443, c'est un palindrome magnifique... Nous y serons dans deux jours.

Elle lui a dit l'heure exacte.

C'était comme un rendez-vous. Une fois atteint, ils le dépasseraient. Et un jour, forcément, ils atteindraient les 4 444 heures ! 4 444 ! Quel chiffre vertigineux !

Un jour.

Mais quand ?

Entre deux clients, elle a fait les calculs. Cela les amenait dans un peu plus de huit mois, avec une petite marge d'erreur et à condition de prendre pour hypothèse que ni elle ni M. Nicolas ne seraient jamais absents, en début d'année prochaine donc, sans doute en février.

Jeanne n'est pas rentrée immédiatement après le travail. Elle devait récupérer des photos papier du week-end à Paladru. Passer à la pharmacie. La pharmacie était en haut de la rue piétonne. Un salon de thé s'était ouvert juste en face. Il y avait des mignardises dans la vitrine, elles ont fait envie à Jeanne. La M'mé dit que la gourmandise est un péché et que l'esprit doit être plus fort que le corps.

Jeanne a dépassé la vitrine.

La M'mé dit aussi que la chute n'est pas une faute, que l'important est de progresser.

Elle est revenue sur ses pas.

Elle est entrée.

Il y avait deux tables de libres. À côté de la caisse, des prospectus qui proposaient des cours d'affirmation de soi. Des stages avec trois niveaux, dont un très intensif. On promettait des progrès stupéfiants.

Jeanne a pris un prospectus.

Elle a choisi une table contre la vitre.

Au milieu de la nuit suivante, elle s'est réveillée en sursaut.

Et avec Rémy, ça faisait combien de jours de vie ? Combien d'heures ? Ils avaient forcément des rendez-vous palindromes ! Il fallait qu'elle les calcule. Mais Rémy dormait. Si elle se levait, elle allait le réveiller. Elle ne voulait pas, alors elle a calculé dans sa tête, c'était difficile et au bout d'un moment, Rémy a éclairé la petite lampe et il lui a demandé ce qu'elle fichait à parler toute seule comme ça.

C'était un grand type, assez costaud, il marchait avec sa veste sur l'épaule, Jeanne l'a suivi sur son temps de pause. Trois quarts d'heure à midi.

Elle a mis ses pas dans les siens. Chemise blanche, manches courtes, pantalon kaki. C'était une veste en toile beige avec plein de poches.

Peut-être qu'il rentrait chez lui? Ou qu'il allait rejoindre une femme? Chercher son gosse?

Elle ne le suivrait pas longtemps. Elle s'est fixé un nombre de minutes, vingt exactement, elle ne dépasserait pas.

Elle avait apporté un sandwich, elle l'a mangé en marchant.

Elle avait fait ça souvent, avant, suivre des gens simplement pour voir où ils allaient. Des inconnus. Elle disait, le prochain qui fume, je prends ses pas. Ou le prochain qui… Elle suivait les femmes aussi. Elle ne suivait jamais les gens qu'elle connaissait et elle ne parlait jamais à la personne suivie, elle avait pour règle de ne pas intervenir, quoi qu'il se passe.

Lui, il avait sa veste sur l'épaule, elle n'avait pas regardé son visage. C'était l'allure, elle était nonchalante. Et puis il faisait beau.

Elle ne décidait rien, c'étaient ses pas qui la guidaient. Elle ne savait pas où ils allaient la mener.

Il est entré dans une pâtisserie. Elle a attendu. Il est ressorti avec un millefeuille. C'est difficile à manger, les millefeuilles dans la rue.

Il l'a englouti en quelques bouchées.

Il a remonté la rue.

Une petite ville.

Une seule rue piétonne. Pas grand-chose à faire. Il s'est arrêté sur la place, là où il y a tous les cafés. Il a choisi une table sous un parasol.

Jeanne en a pris une, à l'écart, sous les platanes. Elle le voyait de dos. Il a bu une bière en lisant *Le Monde*. En payant sa bière, il a laissé tomber une pièce. La pièce a roulé. Il ne l'a pas retrouvée.

Il est resté vingt-deux minutes et il est reparti en abandonnant le journal sur la table.

Le temps imparti était écoulé. Jeanne ne l'a pas suivi. Il fallait qu'elle retourne vite au travail.

Elle a récupéré le journal en passant.

Elle a ramassé la pièce. Une pièce perdue doit normalement revenir au serveur, alors elle a fait ça discrètement, en se baissant comme pour attacher son lacet.

C'était une vingt cents de Slovénie.

Deux chevaux gravés côté pile.

Quand elle est arrivée chez elle, les frères Combe se battaient contre d'autres. Une bande qui voulait traîner aussi dans leur impasse. Ils s'envoyaient valdinguer à coups d'épaule. En crescendo. Jeanne a vu le cadet rebondir au mur, vaciller sous le choc. Un jeu idiot, qui a duré. Et d'un coup, alors que Jeanne était à sa porte, ils se sont tous arrêtés, les deux bandes, pour se liguer contre celui qui avançait. Le garçon du 5. Petite veste à carreaux, tee-shirt jaune échancré, physique androgyne. Ils l'ont sifflé, les doigts dans la bouche, l'ont suivi, rattrapé, dépassé. C'était agressif, violent. Sexuel.

Jeanne était crevée de sa journée. Elle ne voulait pas d'histoires. Ni avec les voisins. Ni avec personne.

Elle est entrée dans sa maison.

Elle a ouvert le journal : l'homme suivi avait fait le sudoku, niveau moyen, mais pas les mots croisés. Elle a essayé de remplir quelques cases.

Elle a tapé sur son moteur de recherche, *vingt cents de Slovénie*. Les chevaux de la pièce sont des lipizzans, une race qui a failli disparaître. Particularités : ils sont noirs à la naissance et s'éclaircissent avec le temps jusqu'à devenir gris très clair. Tout le monde dit qu'ils sont blancs. Mais ce n'est pas du blanc.

Elle est sortie sur la terrasse. Transat. Elle a attendu le 18 h 01. L'hiver, les wagons surgissaient de la nuit, pleins de lumières, elle aimait bien.

Elle a fermé les yeux. Jambes au soleil couchant. Pieds nus. Orteils en éventail. Le vernis rose était écaillé, il fallait qu'elle dissolve. Elle ne dissolvait pas. Elle empâtait les couches. L'ongle des pouces était épais et un peu jaunâtre. À la ferme, le père coupait les cornes des vaches pour ne pas qu'elles se blessent. Il coupait aussi les sabots des chevaux. Ses ongles, lui, il les taillait au couteau.

— Tu lis *Le Monde*, toi ?

Elle a tourné la tête.

Rémy était là, avec son frangin, les deux ensemble, ils allaient prendre l'apéritif.

Jeanne menait une vie calme, heureuse et régulière. Les matins et les soirs. Les jours. Il n'y avait pas beaucoup de différences.

En général :

Le lundi, elle allait à la piscine.

Le mardi était le jour du macaron.

Le mercredi, celui des courses et du ménage.

Le jeudi, elle passait à la bibliothèque.

Le vendredi, avec des amis, ils allaient au cinéma.

Le week-end, il y avait les filles.

Le dimanche, un déjeuner à la ferme.

Jeanne a ôté un jour de l'éphéméride. Elle faisait ça. Chaque matin. Elle détachait la mince feuille de papier. C'était son premier geste. Les jours étaient noirs, sauf les dimanches qui étaient rouges.

Chaque Premier de l'an, elle accrochait à la porte du placard une nouvelle éphéméride. Elle aimait les listes. Les listes évitent d'oublier les choses et de gâcher le temps. Elle se servait du verso des jours pour écrire celle des choses à faire.

Elle ne jetait pas les feuillets mais les glissait dans un tiroir, avec tous les autres, tous les jours des ans précédents. Il y en avait plein le tiroir. Elle devait faire attention en l'ouvrant. Rémy lui demandait de les jeter, mais elle ne pouvait pas faire ça. Elle a tourné la tête. On grattait à la porte. C'était le chat, il avait passé la nuit dehors. Il s'est glissé dans la maison. La voisine d'en face le disait, Dès qu'il entend le verrou, il se précipite, si c'est votre mari qui ouvre, il ne vient pas.

Jeanne a rempli son bol, elle s'est assise sur le tabouret, l'a regardé manger.

C'est elle qui l'avait trouvé, sur le parking de la poste. Une bête famélique qui vivait apeurée sous les autos. Elle avait tendu la main. Il s'était approché. Le clochard qui squattait sous le porche avait gueulé que l'animal était à lui, et qu'il fallait payer pour les caresses. Le vivant est libre, il ne s'achète pas. Jeanne avait quand même payé, pour le caresser, et quelques jours plus tard, pour l'emmener. Elle l'avait appelé Mo. C'était un rouquin à poils doux, elle lui avait aménagé un coin confortable dans la cuisine. Dans l'impasse, tout le monde le connaissait. Quand les voisins sortaient leurs poubelles, ils lui parlaient, Eh! Salut Mo!

Mo n'allait jamais très loin. Il était comme Jeanne, un être de territoires courts.

Tant que la photo avait été là, dans son cadre de coquillages, Jeanne ne la regardait pas. C'était comme si la photo n'y était pas. À présent qu'elle n'y était plus, elle s'arrêtait souvent devant le rectangle blanc. Ce n'était jamais le même blanc. Selon l'heure du jour, il brillait différemment. Devenait lumière.

Rémy était passé au magasin de peinture, il avait rapporté un nuancier. Il fallait qu'ils décident de la couleur des murs. Qu'ils décident de l'éclairage aussi. Jeanne ne voulait plus d'abat-jour. Il proposait des lumières intégrées. Il ne voulait rien laisser au hasard, il fallait régler tous les détails avant de commencer.

Il a fait glisser les languettes de couleurs, les a ouvertes en éventail devant Jeanne.

Comme elle ne répondait pas, il a suivi son regard, il a dû croire qu'elle fixait le poster parce qu'il a refermé le nuancier et il a dit :

— Si tu veux, l'année prochaine, au lieu d'aller à Dunkerque, on pourrait aller en Grèce ?

Il a parlé d'une croisière, Athènes et les îles, il avait vu un reportage, des paquebots immenses, avec des boutiques et des piscines, ils loueraient une cabine avec hublot… Ils pourraient passer par Venise, il paraît que c'est bien, Venise !

Il s'est emballé. Il a voulu bloquer les dates. Il était comme ça, Rémy, immédiat. Pour un tel voyage, il fallait faire une cagnotte alors il est allé chercher une boîte et il a mis cinquante euros dedans.

Les cinquante premiers.

La boîte, dans le placard.

Et puis il a repris le nuancier et il a dit que le taupe irait très bien avec le beige clair du canapé.

— Jésus-Christ, à côté, c'est un débutant.

Rémy a dit ça parce qu'en passant derrière Jeanne, il avait regardé l'écran, et vu Abramović couchée nue sur une croix de glace. Le froid, la peur, même combat, pour lutter il faut se familiariser.

Jeanne a attendu qu'il s'éloigne, retourne dans le garage.

Elle a sorti son carnet.

Elle a recopié :

M. A. Citation 1 : *J'ai longtemps cru qu'on devenait une artiste à partir d'une enfance difficile ou alors si on avait connu un drame ou bien la guerre, ou alors si on avait un don. Mais ce n'est pas ça. On devient artiste parce qu'on est sensible et parce qu'on est mal dans le monde. Ce n'est pas une question de don mais d'incapacité à vivre avec les autres. Et cette incapacité à vivre crée le don.*

Le four avait préchauffé, elle est allée enfourner les lasagnes. Cinquante minutes, thermostat 8. Elle est revenue à l'ordinateur.

Naples. 1974. À la galerie Studio Morra. Le jour de la photo. Les gens l'avaient touchée pour voir si elle était vivante, ils lui avaient tourné autour, ils s'étaient servi des objets qu'elle avait mis à leur disposition sur la table, ils avaient caressé sa joue avec du coton, ils lui avaient fait manger du raisin, du miel, boire du vin. Ils avaient écrit sur ses bras aussi. Quelqu'un lui avait touché les seins, ils avaient versé de l'eau sur sa tête, l'avaient traitée de putain, l'avaient prise en photo avec le polaroïd.

Jeanne a cherché la liste des objets. Elle a fini par la trouver, mais en anglais. Elle a dû traduire, avec le dictionnaire Reverso.

Elle a recopié la liste dans le carnet :

peigne, cloche, fouet, rouge à lèvres, couteau de poche, fourchette, mouchoir, parfum, cuillère, coton, fleurs, allumettes, rose, bougie, eau, écharpe, miroir, verre, appareil polaroïd, plume, chaînes, vernis à ongles, aiguille, épingle de sûreté, brosse, bandage, peinture rouge, peinture blanche, peinture bleue, ciseaux, stylo, livre, chapeau, épingle à cheveux, feuille de papier, couteau de cuisine, marteau, scie, bout de bois, hache, bâton, os, journal, pain, vin, miel, sel, sucre, savon, gâteau, tuyau, harpon, scalpel, lames de rasoir, lanières de cuir, plat, flûte, pansement, alcool, médaille, manteau, chaussures, chaise, fil de fer, fil de laine, soufre, raisin, huile d'olive, branche de romarin, pomme, balle, revolver.

Elle a souligné le mot *rose* parce que c'était la fleur qu'on voyait sur la photo du cadre en coquillages.

Suzanne est entrée dans le salon alors qu'elle soulignait le mot.
— Rémy m'a dit que t'étais là…
Elle a vu le carnet, la liste.

— C'est tes courses ?

Jeanne a ri.

Elle lui a raconté.

Elle lui a montré la photo.

— La première heure, il ne s'est pas passé grand-chose. Après, ils ont joué avec elle comme si elle était une poupée. Ils ont écrit sur son front avec le rouge à lèvres, ils ont collé des pétales sur ses seins. Un type a fait courir les épines de la rose sur sa peau, il a appuyé sur les épines, il lui a mis la rose dans la main.

— Et alors ?

— Rien. Elle est restée impassible.

Jeanne a pris la pose, une statue au milieu du salon, les traits du visage lisses, imperturbables, comme sur la photo. Elle fixait un point au bout de la pièce.

Suzanne lui a tiré un peu les cheveux, elle l'a chatouillée sous le cou.

— Elle n'a jamais réagi ?

— Non. Elle ne voulait pas les empêcher. Elle voulait contrôler sa douleur, dépasser sa peur pour s'en libérer, montrer que, si elle y parvenait, ils pouvaient y parvenir eux aussi.

Pour rire, Suzanne lui a pincé les tétons, Jeanne l'a repoussée.

— Des gens sont partis, ceux qui sont restés l'ont embrassée, enchaînée.

— Et elle n'a rien dit ?

— Pas un mot.

— Personne ne s'est mis en travers pour dire d'arrêter les conneries ?

— Si, mais pas assez…

— Et le revolver ?

— Ils l'ont placé dans sa main, à la fin.

Suzanne a vérifié sur la liste.

— Elle avait fourni la balle?

— Oui. Un type l'a glissée dans le chargeur. Là, elle a eu très peur, ça allait trop loin, elle a failli tout arrêter, et puis elle a pensé que ce serait stupide d'avoir fait tout ça pour rien, d'abandonner si près. Une fois que les choses sont décidées, il faut aller jusqu'au bout, alors elle a continué pour voir ce qui allait se passer.

— Ça aurait pu mal tourner, son histoire.

Jeanne a éteint l'ordinateur.

— L'enjeu, c'était de tenir six heures. C'était à eux de décider. Les gens… Ils pouvaient tout arrêter. Ils pouvaient aussi la tuer. Elle s'est juré que, si elle s'en sortait, elle ne laisserait à personne le pouvoir de décider pour elle.

— Et ça s'est fini comment?

— Un homme a fini par s'interposer, il a dévié l'arme.

— Et elle a tenu les six heures?

— Oui, mais elle a eu tellement peur que, pendant la nuit qui a suivi, toute une mèche de ses cheveux a blanchi. Elle a dû les teindre.

Suzanne a jeté un coup d'œil à la photo du cadre que Jeanne avait retirée du livre pour lui montrer.

— Et cette fille te fascine?

— Énormément.

— Il se serait passé quoi si personne n'avait touché aux objets?

— Impossible. Il y a un effet de groupe. Et dans un groupe, tu as toujours quelqu'un qui est tenté, celui-là commence et les autres suivent.

Suzanne a reposé la photo.

— Si ça se trouve, c'était une balle à blanc ?

— Non.

— Qu'est-ce que t'en sais ?

— Elle ne triche pas.

Jeanne a remis la photo entre les pages. Elle a serré le livre contre elle.

— Le sang, la peur, les larmes… Tout est vrai chez elle. Elle ne fait jamais semblant. Même quand elle aime. Quand elle aime, elle aime à fond…

— Et quand elle n'aime plus, hein, elle fait quoi ?

— Quand elle n'aime plus, elle quitte.

Rémy était dans le fond du jardin, il sifflotait en arrosant ses tomates. Elles l'ont regardé un moment.

— Et pourquoi qu'elle a fait tout ça ?

— Pour voir ce qu'un humain est capable de faire subir à un autre.

— Moi, j'aurais pu lui raconter…

Elle a été triste soudain.

C'est à cause de Jef qu'elle avait dit ça. La rumeur courait qu'il vivait avec sa Portugaise, dans un appartement place des Halles.

Suzanne est repassée dans le couloir, elle s'est arrêtée devant le mur.

— Et Rémy, il en pense quoi ?

— Rémy, tu sais, l'art, c'est pas son truc.

— Je parlais du mur…

Elle a montré avec la main.

— T'as bousillé un peu du plâtre, là.

— C'est le clou.

— C'est le clou oui.

Suzanne s'est retournée à cause de la bonne odeur qui sortait du four.

— Et tu fais quoi de bon, toi, à bouffer, ce soir ?

Dans son carnet, Jeanne a écrit :

Citation 2. M. A. Naples. 1974. Galerie Studio Morra. *Si on savait d'avance ce qui va se passer, ce ne serait pas la peine de faire les choses...*

Jeanne est descendue de l'auto. Tout de suite, le chien a bondi, il est venu plaquer sa tête lourde contre sa cuisse. C'était un bon chien. Un de ceux qu'on dit *veau*, ou *corniaud*. Un mendiant de caresses. Jeanne l'aimait bien. Il y avait toujours eu des chiens à la ferme. Des chiens sans chaînes. Dressés pour avertir. Le père en avait tué un, parce qu'il gueulait la nuit, pas pour les voleurs, non, pour rien. Parce que ça lui prenait. Des mouches qui passaient. Il avait pris un coup de fusil. Le père avait raconté ça aux autres, ceux qui sont venus après, ce que ça faisait de le réveiller la nuit. Il en avait tué aussi des trop vieux, ou des malades. Il leur creusait un trou à côté du tas de fumier. Toujours au même endroit, ça faisait charnier.

La mère était au bassin, à laver des légumes à grande eau.

Jeanne s'est approchée. Elle a embrassé la mère. La mère sentait bon, même avec la sueur.

— Où elle est, la M'mé?

Petit coup de menton en direction de la cave.

La cave était sur le côté de la maison. Jeanne a tiré la porte. La M'mé s'était repliée au fond. Dans le frais. L'obscurité.

Jeanne a fait un pas. Elle a entendu craquer sous sa semelle, un grillon ou un cloporte. La porte s'est refermée derrière elle. Elle ne voyait plus le sol. Elle ne voyait pas la M'mé.

La M'mé, elle la devinait, dans cette nuit de cave qui sentait la tombe. L'endroit était encombré de tonneaux, il y avait des patates dans des caisses.

La M'mé fredonnait, toujours la même chanson, ça parlait de croix et de temps qui passe, de temps passé et de soldats.

Il est fait de tant de croix, le temps qui passe… pauvres tombes de l'oubli, les fleurs les ont envahies…

C'est la chanson qui guidait Jeanne. La M'mé respirait fort. Jeanne s'est assise à côté.

La M'mé s'est arrêtée de chanter.

— Tu es là, ma petite fille…

— Je suis là, la M'mé.

Elle lui a pris la main, l'a serrée.

La M'mé était différente du reste de la famille. On disait que Jeanne tenait d'elle. Et aussi Zoé.

— Pourquoi tu t'enfermes ? Il fait humide, tu vas attraper la mort.

La M'mé s'effaçait, le docteur l'avait dit. Lors d'une visite. Pas en ces termes. Qu'elle existait moins, c'étaient ses mots. Qu'un jour, elle n'existerait plus. Que c'était le lot de chacun. Cette douleur. Mais que la tête était bonne.

— Je dois m'habituer.

Jeanne n'a pas demandé à quoi, mais la M'mé a expliqué, comme si elle l'avait demandé.

— À ce qui m'attend, ma petite fille.

Le trou, la terre, le silence. Un jour, ça arrivera. On le sait. Il faut bien qu'on en parle. Et c'est impossible d'en parler. Personne ne veut entendre ça.

La M'mé était une pieuse. Chaque fois qu'elle passait devant une église, elle se traçait la croix du bon Dieu. Elle jeûnait pour le Carême et la Semaine sainte et aussi à l'occasion d'autres fêtes.

— Abramović a fait fabriquer un squelette à son exacte dimension pour se familiariser avec ce qu'elle sera un jour, a dit Jeanne.

La M'mé a hoché la tête. Elle a dit, C'est une drôle d'idée…

Elle n'a pas demandé qui était Abramović.

Elle a recommencé à chanter.

Le soir tombait et les frères Combe traînaient encore. À croire qu'ils n'avaient pas de famille. Ils regardaient dans les jardins, cherchaient la faille, la connerie à faire pour s'occuper un peu. Les deux plus grands fumaient, ils laissaient leurs mégots sur le trottoir. Leurs canettes de bière aussi, sur les boîtes aux lettres. Ils avaient leur poste à musique, le son à fond. Des basses répétitives. Ils étaient encore plus crétins que d'habitude, ça devait être la chaleur, et aussi les cours au collège qu'ils avaient arrêtés bien avant la date permise.

Ils sont partis et Rémy est sorti ramasser leurs canettes. C'était plus fort que lui, il croyait à la vertu de l'exemple, il disait qu'il ne fallait pas se tromper d'ennemis, que la responsabilité était du côté des adultes.

Comme tous les mardis, Rémy avait apporté un macaron, parfum citron, c'était le suivant dans la liste.

Jeanne l'a savouré.

Le train est passé. Celui de 18 h 01. Et le suivant. Jeanne s'est imaginée dans un wagon. Elle irait jusqu'au terminus. Prendrait un autre train. Au hasard. Et ainsi, de hasard en terminus, jusqu'à plus d'argent, plus de quai, plus de train.

On revient au point de départ si on fait ça, a dit Rémy quand Jeanne lui a raconté.

Ils ont dîné devant la télé, salade et quiche, en regardant un épisode d'une mauvaise série.

Après le dîner, Jeanne est sortie dans le jardin. Elle a traîné un peu. Elle avait envie de voir le renard. Elle a attendu quelques minutes après 23 heures.

L'envie ne suffit pas. Il n'est pas passé.

Quand elle est entrée dans la chambre, Rémy dormait déjà. Il tenait tout l'espace. Elle s'est assise au bord du lit. Elle a pensé à tous les endroits où elle était allée avec lui et à tous ceux où elle pourrait aller. À ceux où elle n'irait pas.

Jeanne aimait les endroits où l'on ne va pas parce qu'on les rêve.

Elle s'est étendue dans l'espace imparti. Elle s'est appuyée, un coude sur l'oreiller, s'est penchée. Rémy rêvait. Ses paupières frémissaient. Il semblait vulnérable dans son sommeil. Elle a frôlé sa bouche. Cet autre que l'on choisit, et qui devient un peu soi. Qu'est-ce que Jeanne connaissait de lui? Qu'est-ce qu'elle savait de plus que ce qu'il voulait bien lui dire, ou lui laisser voir? Vingt ans qu'ils vivaient ensemble. À partager, se divertir des mêmes choses. À se nourrir pareil. À dormir dans le même lit. Mêmes amis, mêmes habitudes. C'est comme si Jeanne avait abandonné une partie d'elle pour être lui. Et Rémy abandonné une partie de lui pour être elle.

Mais à l'intérieur?

Elle s'est redressée. Son mouvement a fait bouger Rémy. Il a changé de position. S'est retourné. Elle a posé sa main contre son dos. Son corps était chaud.

Elle aurait pu se blottir, glisser ses bras autour de lui, le ramener à elle, à son corps.

Jeanne a garé la voiture, elles étaient encore à l'intérieur, avec leurs sacs de piscine et le moteur qui tournait, les cheveux un peu mouillés. Leurs peaux sentaient le chlore. Suzanne avait la main sur la portière, elle était prête à descendre quand Jef a surgi.

Il a tapé, un grand coup sur le capot.

Suzanne a dû baisser la vitre.

Il voulait savoir ce qu'elle comptait faire, c'est ce qu'il lui a demandé, tout de suite, Tu comptes faire quoi?

Suzanne n'a pas compris. Elle lui a fait répéter, Ce que je compte faire de quoi?

De la baraque, il a précisé.

La baraque, l'auto, tout ça, il fallait bien qu'ils en fassent quelque chose? Suzanne n'y comprenait rien. Elle tenait son sac sur ses genoux, avec dedans la serviette mouillée et le maillot de nage.

— Tu veux qu'on en fasse quoi?

C'était à eux deux, il voulait qu'ils partagent. Partager? Reprendre ce qui lui revenait? Elle n'arrivait pas à y croire.

Jeanne était au volant. Elle a coupé le moteur. Elle fixait la rue, les frères Combe, immobiles, regroupés, ils observaient, enfin il se passait quelque chose.

Jeanne ne voulait pas entendre tout ça, assister à cette conversation. Jef réclamait l'argent de la maison. La moitié. L'imbécile! C'est pour ça qu'il était là. Pour récupérer du fric. Il en avait besoin, c'est ce qu'il répétait.

Suzanne était pâle. Il l'avait plaquée et maintenant…

— Tu crois que du fric, j'en ai plus qu'il m'en faut? Tu penses qu'il me tombe du ciel?

Les problèmes de Suzanne, ce n'étaient plus ses problèmes. Jef ne voulait pas qu'ils s'engueulent, il voulait juste récupérer sa part. La maison lui appartenait autant qu'à elle, il trouvait normal de partager.

— T'es un beau salaud.

Il a ouvert la portière, il voulait qu'elle descende discuter de tout ça.

Elle n'est pas descendue.

Il n'a pas insisté.

Il a dit, Je te laisse réfléchir, je te rappelle plus tard.

Et il est parti. À pied. Les mains dans les poches. Elles l'ont suivi des yeux. Et puis après, elles sont restées un peu dans l'auto, à fixer le vide là où il avait disparu. À attendre que leurs cœurs se calment. Tout était allé si vite.

— Il va me revenir, a fini par dire Suzanne.

Elle a passé ses mains dans ses cheveux, s'est massé le crâne.

— Qu'est-ce qu'il ferait tout seul, hein? Lui sans moi, ça serait quoi, sa vie, tu peux me le dire?

Le soir, Jeanne écrit :

Lettre n° 2

Chère Marina,

Je suis folle de rage ! J'ai perdu la photo que j'avais de vous. J'y tenais pourtant ! Comment peut-on perdre ce à quoi on tient tant ? Je l'avais glissée dans un livre emprunté, et bien sûr j'ai rendu le livre. Quelle idiote je suis ! Quand je m'en suis rendu compte, j'ai couru à la bibliothèque, j'ai retrouvé le livre, mais la photo n'était plus dedans. La bibliothécaire a mis une annonce, mais j'ai peu d'espoir.

Si vous pouviez m'en envoyer une pour le cas où je ne la retrouve pas ? (Je vous mets mon adresse derrière, pour la réponse.)

Elle n'envoie pas cette lettre.

Le bleu de travail du père était accroché à la patère. Le sac de la mère. Ses chaussures de ville, soigneusement cirées.

La mère était à la table, à recoudre un ourlet de robe. Sous la lampe de fin de jour, à l'aiguille et au fil, et avec le dé.

La M'mé, au fond de la cuisine, avec le chien. Elle préparait la compote, le tablier au ventre. Une recette, toujours la même. De la compote fade, avec des pommes blanches qu'elle appelait pommes de pénitence. La chair était sans plaisir.

Jeanne a posé un baiser sur son crâne.

— Il faut apprendre à se pardonner, a dit la M'mé en mâchant sa langue.

Elle a dit ça à cause du miel qu'elle ajoutait.

La M'mé sentait le propre. Son visage était très ancien, ses yeux étaient ornés de cils drus et longs. Autour de sa bouche, sa peau était creusée de rides, on l'aurait dite cousue. La photo sur la cheminée la montrait jeune, avec des seins lourds.

Le chien avait une boule au ventre. La mère disait *aux parties*. Qu'il allait crever. Qu'elle n'en reprendrait plus après. Que c'est trop d'attachements.

Même si elle n'aimait pas vraiment les chiens, elle trouvait que ça pue trop quand c'est mouillé.

La M'mé avait l'âge du chien. Elle n'avait plus de dents. Sa vue était basse. Elle avait pelé les pommes, enlevé épais. On trouverait des pépins dans la compote. On ne lui dirait pas. On recracherait dans la main. Il aurait fallu opérer. La M'mé ne voulait pas. Les docteurs, les notaires, tous des voleurs, elle avait des exemples, elle pouvait raconter.

Le temps passe, c'est inéluctable.

Quand elle en avait la force, elle allait jusqu'au puits. Jeanne pensait qu'un jour, on la retrouverait au fond.

— Il fut un temps, ma petite fille, où à peine arrivée, tu allumais les bougies pour remercier le ciel de toute la chance que nous avons.

Jeanne a regardé du côté de l'autel, la niche était creusée dans le mur, à portée de main du fauteuil, une nef miniature ornée de tissus rouges, trois bougies larges, une branche de buis bénit et des photos, et, au milieu de ce capharnaüm, quelques santons en terre peinte qui dataient de l'enfance lointaine de la M'mé.

Jeanne a craqué une allumette, elle a allumé les bougies, a effleuré de sa paume l'air chaud au-dessus des flammes.

Le père est revenu du dehors. Il s'est approché de l'évier. Ils se sont dit bonjour sans se toucher. Un hochement de tête. Leurs regards ont glissé.

La M'mé en avait fini avec sa compote. Elle l'a mise à refroidir sur le rebord de la fenêtre. Elle a remonté le couloir. Sa chambre était au bout, une pièce qui était une réserve avant. Du mauvais plancher, le père l'avait recouvert de lino. Elle gardait les cageots de pommes sous son lit, c'était l'habitude de la pièce. Ça sentait le fruit. Même la M'mé, à force, avec les années, elle avait l'odeur.

Le soir, Jeanne a tenté une autre lettre.

Lettre n° 3

Chère Marina,

Pour vous écrire j'ai besoin de calme et d'être un peu seule, heureusement il y a la bibliothèque. Mais il y a souvent du monde et je n'ai pas toujours le temps. Hier, j'ai lu une longue interview où vous parlez de votre enfance et de vos relations difficiles avec vos parents. La bibliothécaire a accepté de me l'imprimer. Avec photos et tout! Cette étoile que vous vous êtes dessinée sur le ventre, avec une lame de rasoir, quel courage quand même… Avez-vous encore la cicatrice? Les photocopies, c'est bien mais j'aimerais vous voir un jour, en vrai. Je suis bien sûr dans l'impossibilité d'aller vous rencontrer à New York et pourtant j'en rêve. Suzanne dit qu'il ne faut pas rêver mais faire.

Donnez-moi de vos nouvelles, une simple carte suffirait à ma joie. Vous pouvez me dire la couleur de votre ciel.

À bientôt j'espère.

PS : Suzanne est ma meilleure amie.

Dessin, reproduit en page 12 du carnet, de l'étoile gravée sur le ventre de M. A.

Jeanne s'en est tatoué une sur le ventre. Une étoile. Le motif pris sur une planche de tatouages que les filles avaient laissée dans leur chambre.

Le soir, quand elle a voulu l'enlever, impossible, le dessin était incrusté. Elle a frotté, au savon et au gant. Elle a mis du dissolvant. Il a fallu de l'alcool à 90. La peau a morflé.

Elle a cru que ça ne partirait jamais! Quelle idiote elle faisait! Que dirait Rémy s'il voyait ça?

Le lundi, à la piscine, Suzanne a vu la trace rouge. Elles étaient sous les douches. Personne d'autre.

— T'as fait quoi là?

— Rien…

— Tu t'es brûlée?

— Non. C'est une allergie.

— À quoi?

— Je ne sais pas.

— Alors pourquoi que tu dis que c'est une allergie?

Jeanne avait enchaîné les longueurs, elle était crevée. Elle n'avait pas envie de parler de ça. De ces choses qu'elle faisait. Elle a remonté son maillot pour cacher la trace. Elle est allée se sécher les cheveux. Suzanne a haussé les épaules. Elle est restée sous la douche. Son corps était massif, plus que celui de Jeanne.

— Tu ne m'enlèveras pas de l'idée que c'est bizarre, quand même, cette trace…, a dit Suzanne quand elles se sont retrouvées près des casiers.

Elle l'a revu le lendemain. Le type à la pièce de vingt cents. En ville. Il remontait la rue et il est entré dans une boutique de chaussures. Une boutique sans porte. Elle a hésité. Elle ne suivait jamais deux fois une même personne.

Il s'est assis dans un fauteuil bas, sa veste en toile était posée sur le dossier.

Elle s'est donné cinq minutes. Pas une de plus. Elle est entrée. Non, elle ne savait pas ce qu'elle désirait. Quelque chose de simple. Des espadrilles ? Oui, des espadrilles, c'est bien. Elle a essayé les modèles que la vendeuse lui proposait. Des tissus unis, et d'autres à fleurs. Elle observait l'homme, discrètement. Elle essayait de deviner ses goûts, son âge, son métier. Il avait les pieds larges, la cheville solide. Les mains étaient pareilles, avec des poignets forts. La peau sèche. Le torse était large, la gorge épaisse. La mâchoire carrée. Une barbe de deux jours. Ni manuel, ni intellectuel. Un entre-deux. Les manches de la chemise étaient relevées au-dessus du coude. Les avant-bras étaient bronzés. Une montre, bracelet en cuir. Il devait travailler à l'air libre. Pas d'alliance. Elle n'avait pas l'impression qu'il était d'ici. Il comparait des modèles à boucle et des modèles à scratch. Elle a pensé que c'était le genre de type à repartir avec les neuves aux pieds.

— Vous en pensez quoi vous ? Celles-là, elles ne font pas un peu trop moine ?

Elle a relevé les yeux. Il était là, à se dandiner devant elle, d'un pied sur l'autre.

— Vous choisiriez lesquelles, hein ?

Elle a rougi. Elle a montré celles avec la boucle, elles allaient mieux à son pied, et puis la semelle était épaisse, il marcherait bien avec, il ne sentirait pas les cailloux. À condition qu'il marche sur des cailloux bien sûr. Elle a dit tout ça très vite, elle était affreusement gênée, et d'accord, oui, le modèle était un peu monacal, il fallait bien le reconnaître.

— Vous, vous êtes plutôt espadrilles.

Il a dit ça sans rire.

Il a montré les Little Marcel.

— Celles-là, elles iraient bien avec votre polo…

Elle a ramassé les espadrilles et elle a filé à la caisse. Elle a payé de deux billets plaqués sur la table. Non, pas de sac. Pas de boîte, elle les emporterait à la main. Elle est partie tête baissée. En sortant, elle a heurté le mur. Ses espadrilles sont tombées. Elle les a ramassées.

Il fallait qu'elle arrête ces conneries, elle avait passé l'âge.

Déjà, elle remontait le trottoir.

— Jeanne ?

Elle s'est arrêtée. Il était derrière elle. Sorti après elle. Il l'avait rattrapée.

Il a répété son prénom, Jeanne…, mais ce n'était déjà plus une question.

Elle a levé les yeux lentement. Elle a regardé plus attentivement. Les mains. De nouveau le visage. La bouche était épaisse. Les yeux étaient clairs. Bleus. Et ce sourire à peine dessiné… Elle n'aimait pas les hommes aux yeux bleus. Mais ce sourire… Quelque chose a bougé, très loin dans sa mémoire. Un souvenir sensible, encore impossible à nommer, et qui se frayait son chemin, remontait lentement des profondeurs. Doux vertige. Où l'avait-elle vu ? Ce n'était pas au travail, ni à la piscine.

Et ce sourire…

Il a fallu qu'il répète son prénom une troisième fois et qu'il effleure son bras pour que son cœur éclate. Martin. Martin Fayol. Un nom, que la mémoire lui rendait. Ses yeux se sont ouverts grands. Un dérapage soudain dans le passé. Ça faisait combien de temps ? Les questions se sont superposées. Elle ne savait plus quoi faire de son corps. Devaient-ils s'embrasser ? Comment tu vas ? Et tu fais quoi ici ? Martin… C'était tellement imprévu.

Il était là pour quelques semaines, sans doute jusqu'à l'automne, il restaurait la chapelle du château de Saint-Hilaire. Il habitait à Annecy, au bord du lac, les pieds dans l'eau, il faisait des allers-retours. Et elle ? Il avait si souvent pensé à elle. Il parlait. Lentement. Il avait toujours eu ce débit lent. Il avait plein de choses à lui demander, mais pas là, pas sur ce trottoir. Il regardait autour de lui, cherchait un endroit ? Tout était si soudain, je ne pensais pas te rencontrer. Elle a dit qu'elle menait une vie très ordinaire. Avait-elle le temps de prendre un verre ?

Elle l'avait suivi deux fois. Il avait dû la remarquer. Bien sûr qu'il avait dû. C'est pour ça qu'il souriait. Il devait penser qu'elle était une femme qui suit les hommes.

Il ne la quittait pas des yeux. Il avait été marié et il avait deux enfants, un garçon et une fille. Avec la fille du lycée, oui, tu te souviens d'elle? Ils ont divorcé. Elle vit à New York avec les enfants, ils viennent aux vacances, parfois c'est lui qui y va.

— Et toi?

— Moi?…

— Parle-moi de toi.

— Il n'y a rien à dire, je vais bien… Je ne suis jamais allée à New York. Avec Rémy, on n'a pas l'habitude des voyages… Rémy, tu te souviens? Rémy Savoie?

— Je me souviens… C'est ton mari? Il jouait au foot, non?

— Oui. Il entraîne aujourd'hui… On habite près de la gare.

Il a dit, Je t'ai reconnue seulement quand tu es sortie.

Elle a répondu, Je t'ai suivi mais ce n'était pas toi… enfin c'était toi mais ç'aurait pu être n'importe qui…

Leurs phrases se sont emmêlées.

Ils étaient là, dans la rue, sur le trottoir.

— De quoi tu parles?

Elle a dit, Je ne voudrais pas que tu penses… Que ce n'était pas ce qu'il imaginait. Ça n'avait rien de sexuel. Mais la ville était tellement petite.

Tout, en même temps.

Elle a balbutié ça, que ça n'avait rien de sexuel. Et aussi qu'elle était mariée, qu'elle avait deux filles merveilleuses et un mari qu'elle aimait. Elle était contente de l'avoir revu mais il fallait qu'elle parte.

La fin de sa phrase s'est broyée dans un rire confus, qui était aussi un souffle, comme s'il s'agissait pour elle de faire tout cela en même temps, rire, dire, respirer et le retrouver.

Il l'a calmée.

— Tout va bien, Jeanne… Tout va bien…

Elle a tenté un sourire. Au même moment, son téléphone a sonné. C'était Rémy. Elle a dû répondre. Il était sorti plus tôt, il passerait au Drive. Pendant qu'elle lui parlait, elle sentait le regard de Martin.

Elle a raccroché.

— Je dois y aller.

Il l'a rattrapée par la manche. Il a dit, Il faudrait qu'on se revoie. Ou j'ai envie de te revoir. Ou rien, peut-être qu'il n'a rien dit, que c'est elle qui imagine.

Il a fouillé dans ses poches. A sorti un paquet de cigarettes. A noté son numéro de téléphone sur le papier.

Je suis avec Martin, elle aurait dû dire ça à Rémy. Tu te rappelles, Martin Fayol ? Elle aurait dû. Alors qu'ils étaient au téléphone.

Ou alors après, au retour. Lui montrer les espadrilles, tout de suite, dès qu'elle a poussé la porte, on s'est croisés dans une boutique de chaussures. En rire. Il n'a pas changé, il se souvient de toi…

Rémy était fatigué, elle aussi. Il a ouvert le frigo, Et si on se faisait un plateau ? La télé était branchée. Ils ont dîné en écoutant les infos.

Après le repas, ils ont regardé un film. Les espadrilles étaient encore dans son sac. Jeanne les a glissées dans le placard.

Elle a préparé les bols du lendemain et elle a rejoint Rémy dans la chambre. Même là, au brossage des dents, dans l'intime du coucher, il aurait été encore temps, Au fait, tu ne devineras jamais qui j'ai rencontré cet après-midi ?

Elle a pensé à lui. En se réveillant. Quelle idiote elle était! Elle n'aurait pas dû lui dire ça, que ça n'avait rien de sexuel.

Elle est partie au travail après le train de 8 h 09. Comme il était en retard et qu'elle avait absolument voulu le voir passer, elle a dû courir ensuite.

Quand elle est arrivée, M. Nicolas avait déjà sorti ses affaires, stylo, bordereaux, trombones, tout bien rangé, et il fixait la pendule.

C'était un matin calme. Un va-et-vient régulier, sans grande affluence. Des habitués. Jeanne les aimait bien. La direction demandait des statistiques, il fallait compter les clients, emplir un bordereau. Pour compter, Jeanne traçait des barres, quatre verticales, la cinquième à l'horizontale qui barrait les quatre autres.

Il y avait des dragueurs, des narquois. Un pauvre fou, il venait à son guichet, il n'achetait rien, murmurait *Chaleur...* en fixant ses seins.

Jeanne ne croyait pas aux gens sans histoire. Elle ne croyait pas non plus qu'il existait des gens complètement bons. De la même manière, elle ne pensait pas qu'il existait des gens entièrement mauvais. Mais elle pensait que la bonté existait. Et la bêtise aussi. Et l'intelligence. Les gens très intelligents manquaient souvent de fantaisie et cela en faisait des êtres très désolants.

Jeanne a rêvassé. Elle s'est amusée à lister les choses que l'on ne peut pas faire, comme enfoncer en même temps les mines d'un stylo quatre couleurs, emplir un gant de toilette avec de l'eau ou faire rire M. Nicolas.

Elle a réfléchi à ce qu'elle allait faire à dîner. Après, il y a eu du monde et elle n'a plus pensé à rien.

Une fois le flot écoulé, elle a cherché sur son iPhone, une recette à base d'épinards et de fonds d'artichauts. Elle l'a relevée dans son carnet. Suite aux citations de Marina.

Elle a repensé à Martin. Ce n'était pas prévu qu'ils se revoient. Si longtemps après. Tout ne se prévoit pas. Elle l'avait aimé. Tellement. Ils étaient dans le même lycée. Il passait le bac, elle était en seconde. Elle le croisait au foyer. Elle écrivait son nom dans ses cahiers. Elle avait gravé un M dans le bois du pied de la table, chez ses parents. Ils avaient des amis communs au village de Saint-Marcel. C'était un élève brillant. Son père était pharmacien. Quelques jours avant les vacances d'été, elle avait glissé un papier dans sa poche pour lui dire qu'elle l'aimait, elle lui donnait un rendez-vous le mercredi à la fontaine de V. Elle y serait à 15 heures. Elle l'attendrait.

Il était venu mais il n'est pas arrivé tout seul. Il avait trouvé des copains en route. Il était à moto, eux à mobylette, ils s'étaient tous arrêtés à la fontaine pour dire bonjour à Jeanne. Ils n'avaient pas coupé les moteurs. Martin était reparti avec eux. Avait-il eu honte ? Honte de dire, J'ai rendez-vous avec Jeanne.

La mère avait une expression pour dire ces différences, une histoire de serviettes et de torchons qu'il ne faut pas mélanger.

Jeanne a senti une présence. Une cliente attendait de l'autre côté du guichet. Une femme. Elle l'a su à cause des mains. Posées, l'une à côté de l'autre, des mains un peu courtes, avec des doigts larges, les ongles étaient vernis, une petite cicatrice biffait l'index. Les avait-elle déjà vues ? Dans ce cas, était-ce une habituée ? Et laquelle ? Ce serait drôle de pouvoir retrouver les visages à partir des mains. Avec un peu d'attention, cela doit être possible.

Le reste de la journée, elle s'est efforcée de mémoriser les mains.

À la fin, bien sûr, elle avait reçu beaucoup moins de monde que M. Nicolas. M. Nicolas l'avait sûrement remarqué, il remarquait tout.

Le soir, elle a regardé les mains de Rémy. Est-ce qu'elle les reconnaîtrait s'il se présentait un jour, par surprise, à son guichet ?

Le père a traîné le pied et il s'est assis au bout de la table. Jeanne était incapable de le regarder en face. Elle était incapable aussi de ne pas le regarder. Sa présence la rendait nerveuse. Elle n'avait jamais dit ça à personne. Elle pensait qu'elle était la seule à l'éprouver.

Les trois filles d'Emma ont déboulé à leur tour. Lisa et Margot, et puis Zoé, Emma et son mari ensuite.

À la fin du repas, Emma s'est levée. Elle avait quelque chose à leur dire, quelque chose qu'il fallait que tout le monde écoute.

Elle a posé la main sur son ventre. Elle allait encore devenir mère.

Le père a frotté ses gencives avec son pouce. Il a essuyé le pouce sur sa veste. Dans le silence, une lueur a traversé ses yeux vipérins. L'espoir d'une queue, c'est ce que le regard disait, que ça en serait une, enfin, une bien dressée, après toutes ces fentes. Il y avait eu tant de layettes roses, la mère allait peut-être enfin tricoter du bleu ?

— Fille ou garçon, on ne veut pas savoir, a dit Emma.

Elle semblait idiote et tellement heureuse. Pour leur annoncer son bonheur, elle avait mis un top en tulle, du synthétique qui sentait la sueur et lui moulait trop les hanches. Elle était *grosse*, c'est comme ça que la mère disait. Pour les bêtes, elle disait *pleines*. Elle avait des expressions pour les choses du sexe, la chatte est *en chaleur*, la vache *demande*, la chienne *a pris*.

— Trois, ça ne suffisait pas ? a demandé la mère. Avec la Zoé qui compte pour deux…

Zoé était à la table, elle feuilletait un cahier spécial dans lequel elle avait collé des photos de miss, elle en avait toute une collection, les régionales et celles de France, et les miss du monde.

Elle a levé la tête.

Tout le monde la regardait.

Zoé était différente, toujours à la traîne. Il suffisait qu'on lui dise d'aller à droite pour qu'elle aille à gauche. Elle se perdait aussi. Beaucoup. Elle partait et il fallait qu'on la cherche. On avait beau l'appeler, elle ne se montrait pas. Le psychologue qui la suivait disait que le monde allait trop vite pour elle. Il disait aussi qu'elle avait du retard mental et qu'il ne pouvait pas assurer qu'elle le rattraperait un jour.

Elle est retournée à ses miss superbes.

Emma a dit, Je n'en voulais pas, c'est les hormones.

Lisa a voulu savoir ce que c'était. Personne ne savait comment l'expliquer. Jeanne a tenté, Des sortes de commandeurs qui ordonnent aux corps des femmes.

— Qui ordonnent quoi ?

— D'être mères.

Les deux sœurs se sont regardées.

— Vous ne m'embrassez pas ? a demandé Emma.

— Et toi ? a demandé la mère en se tournant vers
Jeanne.

— Quoi, moi ?

— T'en voudrais pas un autre ?

Jeanne a haussé les épaules. Elle a embrassé sa
sœur.

— Et pour ton travail, tu vas faire comment ?

— J'arrête.

— Tu arrêtes ?

— Oui.

— Tu te fais avoir.

— Non.

— Si.

— Non. Je veux que ma vie serve à faire cet
enfant. Je veux cela plus que tout.

Le père a plié le couteau et il s'est levé. Le bois
était usé à la place de ses coudes. Les histoires de
ventre, de sang, de chambres, c'est l'affaire des fendues, il n'aimait pas qu'on parle de ça. Il n'avait fait
naître que des pisseuses. Des fentes. Quatre. C'était
son drame. Sa solitude. Et ça continuait dans la
génération suivante. Trois filles chez Emma, deux
chez Jeanne, deux pour Isa. Trop de filles, trop de
mères, trop de femmes, des histoires de sang, d'organes, de menstrues. Ça l'avait rendu sombre. Il y
avait les gendres. Mais les gendres ne sont pas le
sang. Des pièces rapportées. Pas des vrais hommes
pour la famille. Le père ne le disait plus, mais il
l'avait dit, qu'il aurait volontiers donné ses quatre
filles contre un garçon. C'est pour ça, pour les
chiens, il avait toujours pris des mâles.

Jeanne a planté les dents de sa fourchette dans le
bouchon du vin, elle a fait danser le bouchon au bord

de la table. C'était très drôle. Tout le monde a ri. Après, elle a imité sa sœur avec un gros ventre, sa sœur qui marche, jambes écartées, qui pousse un landau.

Il faisait chaud.

La mère avait suspendu un rideau de lanières en plastique devant la porte. Zoé s'est glissée dans les lanières sales.

Emma a voulu prendre des photos. Souriez ! Souriez ! Elle voulait toujours ça, des sourires qui feraient des souvenirs. Elle utilisait le flash, les yeux seraient rouges.

Jeanne a détourné la tête.

La M'mé sommeillait dans son fauteuil. Une araignée tissait sa toile épaisse derrière elle, entre le mur et le buffet. Le chien était étendu sur le carrelage, à ses pieds.

La table était longue. Le père en remontait toute la longueur.

— Papa, souris, s'il te plaît… Tu pourrais faire un effort !

Pour l'effort du sourire, il lui aurait fallu la certitude d'un mâle.

— Souris, papa…, continuait Emma.

— Il sourit, a dit Zoé de sa voix étouffée.

— Faudrait que ce soit un garçon, cette fois quand même…, a grommelé le père.

Un mâle qui ne porterait pas son nom mais dont on dirait dans le village que c'est bien un Bachot.

Qui décide qu'il faut aimer ses parents ?

Sylvie n'avait pas voulu d'enfants. La mère disait qu'elle finirait seule, que personne ne s'occuperait d'elle quand elle serait vieille.

Le père est sorti. Dans la cour. Est allé pisser. Dehors, dans le jardin, face au mur.

Jeanne l'a suivi des yeux. Son dos. Sa nuque épaisse, plissée. Les pères normaux ne disent pas ça. Aucun père n'a le droit. Aucun. Ni un père ni personne.

— Il est obligé d'être comme ça?

— Comment, comme ça?

Jeanne s'est retournée. Ses poings étaient serrés. Les ongles dans les paumes.

Elle a regardé sa sœur.

— Tu vois bien qu'on n'est pas une famille normale. Ce n'est pas ça, une famille normale.

— Arrête.

— Arrête quoi?

La mère frottait la table avec le chiffon humide.

— C'est lui, il est comme ça, depuis le temps, tu devrais avoir l'habitude.

Les dimanches en famille fatiguaient beaucoup Jeanne, et pourtant elle n'en ratait aucun.

— C'est plutôt une bonne nouvelle ?

— Elle en avait déjà trois…

— Ça lui en fera quatre. C'est bien, quatre, ils pourront jouer aux cartes.

C'est ce qu'a dit Suzanne.

Jeanne l'avait aidée à sortir son gros fauteuil de la maison, un velours, elles l'avaient tiré sous l'auvent, il passerait tout l'été dehors.

Suzanne s'est vautrée dedans.

Elle n'avait pas envie de rire. La veille, elle était allée place des Halles, elle avait passé toutes les boîtes aux lettres, avait fini par trouver, dans le fond d'une impasse, un couloir sombre et étroit, avec des poussettes alignées, le nom de Jef sur une boîte, écrit sur un papier, avec un autre nom à côté, sur la même étiquette.

Elle a fourré la main dans sa poche, en a sorti des Carambar. Au même moment, les frères Combe sont passés. Sur le trottoir. Leur musique à fond. Suzanne leur a gueulé qu'ils allaient se prendre un coup de fusil. Celui qui était le chef la détestait, il paraît qu'elle l'aurait humilié un jour, écarté de la main. Suzanne ne se souvenait pas.

Il lui a fait un geste obscène avec la main, elle lui a rendu sans broncher. Il est venu à son portail, avec les deux autres, le petit, derrière, sur son vélo.

— Faut faire tomber les barrières / Tout est à refaire / Mettre le monde à l'envers.

— Y a pas de barrières ici, juste des gens qui veulent vivre tranquilles, a dit Jeanne.

— Les barrières de l'imaginaire m'dame ! les plus vénères / celles qui empêchent de rêver / et tuent la liberté première…

Jeanne s'est marrée.

Pas Suzanne. Elle a toisé le plus jeune.

— Et lui, le Tête Plate, au lieu de se gondoler, devrait pas plutôt être à l'école ?

Le môme a ravalé son sourire. C'est vrai qu'il avait une tête étrange.

Suzanne s'est calée dans son fauteuil.

— Il est moche.

— Suzanne !

— Ben quoi ! C'est pas vrai ?

Le petit s'est remis en selle et il est parti, en pédalant droit. Ses frères se sont marrés, *Tête plate*, ils répétaient.

— T'es con, Suzanne, des fois…

Suzanne a haussé les épaules.

— Je lui rends service. Plus tôt on connaît ses faiblesses et mieux on les combat.

Elle a décollé le papier d'un Carambar.

— Je suis moche, moi aussi.

— T'es pas moche.

— Banale limite moche.

Elle a plié le Carambar en deux.

— Quand j'étais gosse, je voulais ressembler à Sophie Marceau, t'imagines si on m'avait laissée croire que je pouvais ? C'est parce qu'on m'a dit la vérité que je suis devenue quelqu'un de bien… Y a des trucs, c'est pas pour nous, faut pas s'enferrer dedans, même si ça fait envie.

— Des trucs comme quoi ?

— Les trucs…

Pour se marrer, elles ont passé en revue toutes les choses qu'elles aimaient mais qui n'étaient pas faites pour elles, comme les strings, les petites robes Chanel et les croissants gras. Après, elles ont listé tout ce qu'elles n'aimaient pas, les dimanches de pluie, les connards qui se la pètent, les vulgaires, ceux qui ne doutent pas, qui font du bruit en mangeant, ceux qui parlent fort et ceux qui puent de la gueule, les donneurs de leçons, ceux qui maîtrisent tous les sujets, les types tactiles, les jeans trop petits, les réveillons de Noël.

Et les filles trop jeunes qui piquent les mecs des autres. C'est Suzanne qui a dit ça. Les filles trop jeunes, trop belles.

Après, forcément, son regard tout gai est redevenu tombant et elle n'a plus rigolé du tout.

Le samedi, Jeanne devait retrouver les filles au lac. Il avait été convenu que Rémy viendrait les rejoindre en fin de journée, après le tournoi de ses minimes.

Quand Jeanne est arrivée, les filles étaient à la terrasse du lac. Pas seules. Il y avait deux garçons avec elles. Des jeunes gens d'une beauté décontractée. Rencontrés par hasard, c'est ce qu'elles ont expliqué. Elles ont insisté pour que Jeanne s'assoie avec eux. Comme il faisait vraiment très chaud, ils avaient commandé des glaces. Jeanne a pris un thé glacé.

Les filles parlaient d'un film qu'elles avaient vu et d'un autre qu'elles voulaient voir. Elles portaient toutes les deux une salopette-short avec des sandales. Leurs cuisses nues étaient bronzées, recouvertes d'un duvet fin.

Les filles ont voulu faire un tour de pédalo. Elles sont parties avec les garçons.

Jeanne a bu son thé en regardant, au bord du lac, les couples en maillot qui marchaient. Une jeunesse libre et nue. Elle a réglé les glaces et le thé. En brassant au fond de son sac, elle a trouvé le paquet de cigarettes, un peu écrasé.

Elle est descendue avec, sur la plage. Elle s'est assise sur le sable. Le lac brillait, on aurait dit un lac de soleil. Elle a pensé qu'elle pourrait téléphoner à Martin. Le numéro était sur le paquet.

L'appeler, pour lui dire quoi ? Qu'ils pourraient se revoir ? Elle a tapé les quatre premiers chiffres. Les quatre seulement. Et puis elle a tout arrêté. Les filles s'éloignaient sur les pédalos. Elles faisaient des grands signes. Jeanne leur a répondu. Elle a remis le paquet dans son sac. Un couple s'embrassait, couché, à quelques mètres d'elle. Ils étaient en maillot. Enlacés. Être embrassée comme ça. À un ou deux ans près, la femme devait avoir son âge.

Elle a glissé ses doigts dans le sable. Il était blanc et doux, humide sous la surface. Elle matait le couple. Elle sentait son sang battre. Elle aurait pu jouir de les regarder ainsi. Elle a serré le sable dans sa main. Quand elle a ouvert la main, le sable avait pris la forme d'un cœur. Les cristaux brillaient. Le cœur semblait solide, indestructible. Elle l'a posé à côté d'elle.

Elle a regardé le lac. Les pédalos avaient disparu. Elle s'est étendue, la tête entre les bras, les cils à quelques centimètres du cœur de sable. La fille du lycée, elle s'en souvenait. Celle que Martin avait épousée. Elle était grande et belle, elle ressemblait aux filles des romans *Nous Deux* que la mère achetait à l'épicerie. Jeanne les avait souvent regardés quand ils étaient ensemble dans la cour. Elle n'était pas jalouse. Elle les trouvait beaux. Assortis. Faits l'un pour l'autre.

La mère avait un savoir philosophique pour ce genre de sentiments, elle disait qu'il fallait rester à sa place, dans sa condition, là où la naissance nous a ancrés, pas de prétentions excessives, il n'y a jamais de bonne fête sans lendemain, l'adage évite les tourments même s'il fait le jeu des forts, les bien-nés elle les appelait. C'est pour ça que Sylvie et Isabelle étaient parties. Elles ne supportaient plus. Elles avaient mis de la distance, l'une à Paris, l'autre à Bordeaux. Pour parler d'elles, le père disait, *Celle de Paris* ou *Celle de Bordeaux*, pour bien montrer qu'au départ de la terre, il en coûte la perte du nom.

La mère disait qu'elles avaient eu de l'ambition, et dans sa bouche ce n'était pas un compliment.

Jeanne était devenue postière et avait épousé un bon garçon.

Autre expression de la mère : Il n'y a pas de sots métiers, il n'y a que des sottes gens.

Elle s'est assoupie. Quand elle a rouvert les yeux, le couple enlacé était parti. La surface du cœur avait séché, elle avait perdu sa brillance, pris une teinte grise et mate. Il s'était passé seulement une dizaine de minutes, et déjà des fêlures sombres marbraient la surface lisse.

Combien de temps encore pour qu'il se brise ?

Elle a attendu.

Le soleil était brûlant. Les fêlures ont séché, se sont écartées. La chaleur s'est infiltrée dans les crevasses. Un pan du cœur s'est détaché. Réduit en poussière. Le reste était précaire. Jeanne avait pensé qu'il serait plus solide. Elle a protégé le cœur dans l'ombre de ses mains, et derrière celle, plus épaisse, de son sac. Quoi qu'elle fasse, quels que soient les protections et les soins prodigués, elle n'empêcherait pas les cristaux de s'effondrer. Mais elle pouvait repousser le moment, faire en sorte qu'ils tiennent un peu encore.

Elle a entendu rire. Elle a tourné la tête. C'étaient les filles qui revenaient. Elles couraient à qui arrive la première.

Elles revenaient sans les garçons.

Elles se sont jetées en riant sur le sable, à côté de Jeanne.

Les clients, il y avait les bons et les autres. Quand elle arrivait, elle ne savait jamais comment ça allait se passer.

Début d'après-midi. Elle a profité d'un moment calme, elle a commencé une lettre :

Lettre n° 4

Chère Marina,

J'ai deux filles, je ne sais pas si je vous l'ai déjà dit, et j'adore la mer, les artistes, les arbres et les rencontres.

À la médiathèque, je feuillette des masses de journaux, je cherche partout si on parle de vous. J'ai lu que vous serez bientôt à Londres. Je vous envoie ce petit mot là-bas, une enveloppe à votre nom et aux bons soins du galeriste, j'espère qu'il vous la fera suivre.

Il faudrait que je puisse aller vous voir. Bien sûr, ce serait plus facile si c'était vous qui veniez. Faites-moi signe si un jour vous êtes de passage à Paris, je n'ai pas beaucoup d'argent mais pour le billet, je me débrouillerai.

Elle a arrêté d'écrire.

Deux mains pianotaient devant son guichet. Des mains d'homme. Vu la grandeur, ça devait être un type immense.

Elle a glissé la lettre dans le tiroir.

Elle a ébauché un sourire. Le gars semblait sortir de l'enfer. Elle lui a attrapé le regard. Un monstre, avec des yeux de biche. Jeanne n'avait jamais vu ça.

Il voulait des timbres.

Des timbres, aux motifs de fleurs.

Comme tous les dimanches, Jeanne a apporté un gâteau qu'elle a posé sur le buffet. Elle était sans Rémy, il avait un match. Il ne faisait pas assez chaud pour déjeuner sous le marronnier, ils se sont tous regroupés dans la cuisine.

La mère a sorti les assiettes. Un modèle Arcopal. Celles du passé restaient dans le buffet, avec les tasses et les soucoupes assorties, la mère ne l'utilisait que pour les grandes occasions, elle appelait ça *le service*.

La fenêtre était ouverte, le soleil entrait. Un ruban torsadé pendait au plafond, papier enduit de glu, un piège à mouches déjà noir de cadavres, retenu à la poutre par une punaise dorée. Les dernières mouches à s'être fait prendre se débattaient encore. L'agonie était longue. Plus elles se débattaient et plus elles s'engluaient. Il aurait fallu ne pas résister. Jeanne entendait leur bourdonnement d'affolées.

La télé était allumée. Le père commentait l'actualité avec le mari d'Emma. Tous ces changements. Il n'aimait pas ce que le pays devenait. C'était mieux avant. Et le pire était à venir. Un jour, il faudrait ressortir les fusils pour se défendre, la peine de mort, il faudrait la rétablir, ce n'était pas une solution mais ça donnerait la leçon.

C'était l'été, bientôt les vacances. Emma a annoncé qu'à la prochaine rentrée, Zoé changerait d'école. Ils avaient trouvé un établissement en ville où les enfants étaient plus libres.

— Son instituteur dit qu'elle a une mauvaise image d'elle, a précisé Emma.

— On a l'image qu'on nous donne.

Jeanne avait répondu trop vite. Elle avait blessé. Sa sœur s'est crispée.

Jeanne a murmuré *pardon* avec ses lèvres.

La mère a coupé le gâteau.

Le téléphone a sonné. La mère a répondu. C'était Sylvie, elle téléphonait tous les dimanches, en général ça tombait au moment du café.

Jeanne a passé sa main sur le pied de la table. Le bois lisse. Elle a trouvé le M gravé.

Elle s'est levée. Elle a fait couler l'eau dans la bassine. Elle a enfilé les gants en plastique rose. Un miroir était accroché au-dessus de l'évier. Trop haut. Elle ne pouvait pas voir son visage, seulement son crâne.

Elle écoutait la mère qui parlait à Sylvie. C'était toujours la même conversation, le temps, le repas, la santé… La M'mé. La M'mé a crié quelques mots, du fauteuil.

Une petite fenêtre, sur le côté, laissait passer la lumière et l'air du dehors.

Zoé était sur le banc. Ses sœurs, sous la remise. Emma a rapproché la vaisselle, elle a tout posé par terre. Son visage avait changé, il s'était un peu arrondi. Elle a mis des verres dans la bassine. Il restait du vin. Le vin s'est mêlé à l'eau. Jeanne a lavé les verres. L'éponge était usée et ne grattait plus rien. Pendant qu'elle lavait, le chien est venu lécher le jus gras au fond d'un plat.

Elle a lavé le plat. Celui que le chien avait léché.

La mère a dit, Vous avez le bonjour de Sylvie. Jeanne a souri.

La bassine était pleine d'une eau sale à la surface de laquelle flottaient divers résidus.

Le père était dans la cour.

Jeanne a tiré la bonde. L'eau sombre a stagné. La grille était bouchée. Elle a dû fourrer les doigts tout au fond et retirer les grumeaux anciens qui l'obstruaient. Pendant qu'elle grattait, un bout de gant s'est déchiré. L'eau tiède a envahi l'intérieur du gant.

Sur l'eau, l'ongle de plastique rose flottait.

Suzanne grattait une croûte sur son mollet, une longue estafilade.

Jeanne était assise dans l'herbe, le dos calé au mur. Elle avait trouvé un questionnaire dans un magazine féminin, elle interrogeait Suzanne pour savoir quel genre de femme elle était.

— Défaut que tu ne supportes pas chez toi ?

— Je sais pas.

— Chez les autres ?

— La méchanceté.

— Comment tu veux mourir ?

— Comment tu veux que je réponde à ça... Dans longtemps.

Jeanne a souri.

— Ta fleur préférée, c'est quoi ?

— La pivoine.

Elle a levé les yeux du magazine. Du bout des dents, elle mordait son crayon.

— Les pivoines, ça ne tient pas dans les vases.

— Justement.

Jeanne a regardé le mollet de Suzanne. La peau était très rose sous les croûtes noires.

— Tu ne devrais pas, ça laisse des cicatrices.

Suzanne a haussé les épaules. Elle s'en fichait des cicatrices, elle disait que c'étaient ses tatouages.

L'herbe avait poussé autour de la maison. Tondre, c'était le travail de Jef, depuis qu'il était parti, le jardin s'envahissait.

Elles ont tourné la tête. Des voitures s'étaient arrêtées au début de l'impasse, un mariage, tout un cortège qui klaxonnait dans le soleil couchant, en tête une auto décorée de guirlandes. Un sacré boucan, ça faisait.

Le Tête Plate avait grimpé sur le terre-plein, il les regardait, d'en haut, à deux mètres des rails, en équilibre sur son vélo.

Suzanne a ricané.

— … klaxonneront moins quand ils seront cocus.

Avec ses ongles, elle a détaché un bout de croûte, elle tirait lentement dessus.

— Ça t'arrive des fois de penser aux choses qu'on aurait dû faire et qu'on n'a pas faites ? a demandé Jeanne.

Suzanne a fait non avec la tête. Elle avait réussi à décoller un bon centimètre de croûte et elle le regardait dans la lumière.

— Et aux choses qu'on pourrait encore faire et qu'on sait qu'on ne fera pas ?

— Je pense pas à ça.

Suzanne a frotté son mollet. Du front, elle a montré le test.

— Alors, je suis quoi, comme genre de femme ?

Jeanne a glissé ses doigts dans l'herbe. L'herbe était fraîche, même en plein soleil.

— T'es une super-copine…

La pelouse était recouverte de petites pâquerettes aux tiges très courtes. Jeanne en a cueilli une. Elle a détaché les pétales, l'un après l'autre.

— Un jour, quand on sera vieilles, on dira, tu te rappelles quand on s'asseyait devant chez toi, dans ton grand fauteuil pourri ? On bouffait des Carambar en lisant les blagues qu'il y avait à l'intérieur. Et plus elles étaient cons, plus on se marrait.

— Pourquoi tu dis ça ?

— Je ne sais pas, ça me vient… Tu as remarqué, des fois, on voit le ciel noir, les nuages, on se dit qu'on va se prendre la pluie, et on continue comme s'il n'y avait rien…

Suzanne a froncé les sourcils.

— T'es un peu tendue, toi, en ce moment ?

— Non.

— Tu cogites trop…

Jeanne a écrasé entre ses doigts le petit paquet d'étamines grasses.

— Parce que je te parle de plus tard ?

— Ça. Mais pas que.

— Tu ne comprends pas ce que ça veut dire ?

— Prends-moi pas pour une conne…

— Je ne te prends pas.

— C'est ça.

Le directeur de l'agence a suspendu un miroir au mur, à côté des dix préceptes de l'employé modèle, parce qu'au contact de la clientèle, il faut s'assurer d'être toujours impeccable, c'est ce qu'il a dit. C'était un petit miroir, 24 par 12. Jeanne a regardé son reflet. Elle était une employée ponctuelle. D'aspect, elle se savait normale.

Elle a rajusté une mèche.

M. Nicolas a ouvert les portes. Elle a oublié le miroir. Les clients sont entrés. Le premier. Les suivants. Toute la matinée, ça n'a pas arrêté. Il n'y avait pas de vitre entre elle et eux. Aucune séparation. Un échange direct. Elle se demandait parfois où les clients allaient quand ils repartaient. Quelle était leur vie après, une fois dehors ?

La journée s'est passée avec ce miroir nouveau.

Fin du jour, le dernier client. Elle était épuisée. Elle avait reçu beaucoup moins de monde que M. Nicolas, aussi elle a rajouté des barres, et il n'a pu lui faire aucun reproche puisqu'elle entrait dans les statistiques.

Il restait encore à oblitérer les enveloppes, c'était tous les soirs l'ultime travail. Bientôt, on leur livrerait une machine qui tamponnerait à leur place. La fin d'une époque, regrettait M. Nicolas.

Il a rapporté les enveloppes, a partagé le tas. Tampon, papier, il tamponnait régulier, c'était rapide, précis, il ne s'arrêtait pas, aucune pause entre deux lettres. Une parfaite régularité. Le cachet rond s'imprimait à l'endroit où il fallait, une morsure nette pour moitié sur le timbre et l'autre sur le papier.

Par comparaison, Jeanne tamponnait brouillon. Par à-coups. Elle avait beau l'observer, elle se demandait comment il faisait. Il y a toujours un sens caché derrière ce que l'on voit.

Elle a repensé à M. A.

Dès qu'elle est entrée, elle s'est installée devant l'ordinateur. Elle a ouvert un site, un autre. Des pages au hasard. Marina et Ulay, ils s'embrassaient. À l'époque, ils étaient très amoureux. Sur les photos, on voyait un baiser. Et alors ? Quel intérêt ? Jeanne ne comprenait pas. Elle a lu.

Elle s'est souvenue des explications du professeur. C'était un baiser très particulier, durant lequel ils avaient respiré uniquement l'air qui sortait de l'autre. Comme si le seul air possible pour la vie de l'un était l'oxygène de l'autre. À la fin, dans leurs poumons, il ne restait que du dioxyde de carbone. Ils sont tombés dans les vapes. Ce baiser avait duré dix-sept minutes.

Après, ils étaient partis un an dans une tribu, en Australie. Marina voulait faire l'expérience du désert. Ils n'avaient pas d'argent et pas grand-chose à faire, alors chaque geste, chaque rencontre, une fourmi, un inconnu, devenait un événement important. Un jour, dans une rivière, ils avaient trouvé quelques pépites d'or.

Jeanne lisait. C'était vertigineux. Plus elle lisait, plus il y avait à lire.

En surfant, elle est tombée sur une vidéo d'un travail récent de Marina toute seule, au musée MoMA de New York. Une table, deux chaises. Elle était assise et les gens venaient s'asseoir en face d'elle. Elle ne faisait rien. Elle gardait les yeux baissés, et quand elle sentait qu'il y avait quelqu'un, elle levait la tête et le regardait. Les gens ne devaient pas lui parler et ils restaient le temps qu'ils voulaient. Ils attendaient parfois des heures dans une longue file. Pour certains, l'émotion était très forte. Il y en a qui pleuraient. Quand ils en avaient fini, ils se levaient et ils s'en allaient. Et un autre prenait la place. Elle avait tenu soixante-quinze jours. Plus de sept cents heures. Jeanne trouvait ça tellement bouleversant !

Rémy a râlé parce qu'elle monopolisait l'ordinateur, il voulait lire les fiches techniques afin de choisir une hotte.

Elle lui a demandé cinq minutes encore.

Ulay avait attendu dans la file. Ils étaient séparés depuis plus de vingt ans et il était venu. Quand son tour est arrivé, il s'est assis. Marina a levé les yeux doucement. Et elle l'a vu. Elle n'avait pas prévu ça. Qu'il serait là, en face d'elle. Elle a été très émue. Lui aussi. Mais surtout elle.

Jeanne ne se lassait pas de regarder leurs visages. Une émotion pareille ! Elle aurait aimé attendre des heures elle aussi, et s'asseoir à la table.

Recevoir des gens, les regarder, son travail à la poste ressemblait un peu à ce qu'Abramović avait fait à New York. Jeanne croisait des regards au guichet, mis bout à bout, sur la journée, ça ne devait pas faire beaucoup.

Elle a visionné leur longue marche sur la muraille de Chine. C'était le 27 juin 1988, dans la belle province de Shaanxi, près de Shenmu (Chine). L'endroit porte le nom d'Er Lang Shan. Ils étaient partis de deux points opposés, elle presque dans la mer Jaune, de la ville de Shanhaiguan, dans le golfe de Bohai, et lui à presque cinq mille kilomètres de là, à l'extrémité ouest, dans le Sud du désert de Gobi.

Et ils avaient marché à la rencontre l'un de l'autre.

Il y a quand même plus simple pour se séparer, a fait remarquer Rémy quand elle lui a raconté.

Le film durait 1 h 04.

Sur la vidéo, on les voit marcher. Elle aurait voulu tout visionner mais Rémy s'impatientait.

Dans son carnet, elle a écrit :

Citation de M. A. *Pour arriver à une grande idée, il faut une part de chance, ou alors passer par une succession de petites idées.*

Elle a écrit : Abramović est devenue une grande artiste à cause de son enfance abîmée.

Elle a commencé une lettre :

Lettre n° 5

Chère Marina,

Tout ce travail que vous avez fait sur le couple. J'aime tout de vous.

Cette marche sur la muraille, votre séparation, après vous être tant aimés, alors que vous veniez juste de vous retrouver, quand même, quelle grande idée ! Je me dis que j'aurais pu l'avoir. Avoir l'idée oui, mais le faire… Je n'ai pas pu visionner les dernières minutes car Rémy attendait. Il n'a rien voulu savoir. Ce n'est pas l'idéal, de telles coupures dans une vidéo, mais comment faire ? Il faudrait qu'on achète un deuxième ordinateur.

J'ai hâte de vous rencontrer un jour, de pouvoir vous regarder dans les yeux, vous serrer dans mes bras, vous l'amie de toujours.

Elle a rayé nerveusement cette dernière phrase qu'elle trouvait idiote.

Elle ne pouvait pas envoyer cette carte avec cette rature.

Elle en a pris une autre, elle en avait plusieurs d'avance.

Elle recommence, un début de lettre, pour remplacer la précédente.

Lettre n° 6

Chère Marina,
Moi aussi, mes parents ne m'ont pas assez aimée. Mon père surtout, même si ma sœur dit que j'exagère.

Les roues de la brouette avaient dessiné des sillons dans les gravillons de la cour. Le père était sous la remise, près de l'établi.

Jeanne le regardait par la petite vitre de l'évier. L'établi était un endroit de boîtes et de clous, avec des pots de graisse épaisse à l'odeur forte. Le père trempait les doigts dedans pour en enduire les pistons du tracteur.

— C'est pour ça, parce que je n'étais pas un fils, qu'il ne m'a jamais embrassée ?

La mère avait regroupé la poussière dans la pelle en plastique. Elle a tourné la tête, a regardé du côté de l'établi.

— Il ne t'a jamais embrassée ?

Jeanne a retiré ses gants. Le plastique rose a claqué.

— Jamais.

La mère a jeté les poussières dans la poubelle en fer. Le couvercle s'est rabattu avec un bruit sec.

— Qu'est-ce que tu racontes ? Il t'embrassait, peut-être pas souvent, mais il t'embrassait.

— Jamais.

La mère a reposé la pelle, elle a frotté ses mains sur le devant de son tablier.

— Si tu le dis…

Elle est venue près de l'évier.

— Il n'a jamais été très démonstratif mais ça ne veut pas dire qu'il ne vous aimait pas.

En passant, elle a posé ses doigts froids sur le bras nu de Jeanne. Jeanne s'est retirée, incapable de supporter le contact.

Elle a rangé les gants à leur place.

— Il faudrait penser à les changer, et aussi l'éponge.

La mère a ouvert la porte qui menait aux chambres. Jeanne l'a entendue, qui montait les escaliers. Avec la vieillesse, le père avait fait installer une rampe.

Il y avait une liste de commissions sur l'étagère de la télé. Jeanne a ajouté *gants* et *éponge* sous l'écriture grande de la mère.

Elle est sortie sur le pas de la porte. Elle a regardé les fleurs que la mère avait plantées.

Zoé était au talus avec le chien, elle contournait les petites mousses, elle a disparu derrière les fourrés et elle est réapparue un peu plus loin, Jeanne l'a vue qui se glissait sous les fils barbelés, elle est ressortie de l'autre côté. Elle aurait pu passer par la barrière mais elle ne le faisait pas. Elle a remonté le pré jusqu'au grand pylône. L'électricité courait dans les fils. Des dizaines de câbles qui rayaient le ciel. Il avait été question un temps de les enterrer. Et puis ça ne s'était pas fait. On avait changé les pylônes pour en mettre des plus grands. Des monstres qui traçaient leurs lignes sur les champs, à perte de vue, on les voyait. Des fils sur lesquels aucun oiseau jamais ne se posait.

Zoé s'est juchée sur l'un des blocs qui faisait pied au grand pylône. Elle s'est dressée, en équilibre. Petite fille funambule, les bras légèrement écartés du corps, immobile comme à la proue d'un bateau. Elle regardait devant elle, l'horizon immense, une main en visière. Semblait guetter.

Ses deux sœurs étaient dans la cour, elles ne s'occupaient pas de cette cadette insensée.

Jeanne a poussé la barrière, elle a remonté le pré.

— Qu'est-ce que tu fais ?

— J'attends les fées.

— Les fées ne viennent pas jusqu'ici.

— Pourquoi ?

— La boue, Zoé… Leurs souliers sont trop blancs. Tu viendrais ici, toi, si tu étais une fée ?

— Oui. Je mettrais des bottes.

Elle était sur l'angle du bloc.

Il y avait des sources plus haut, à l'orée du bois, certaines étaient sacrées. C'était à cause de ces sources que le pré était toujours humide.

— Tu ne verras jamais de fées ici, leurs pieds sont délicats, ils ne sont pas faits pour les bottes.

— Le chien les voit.

— Il voit quoi ?

Le chien a gémi, le museau sur les pattes. Il fixait droit et pourtant il n'y avait rien.

Jeanne a regardé le vide qui faisait gémir le chien.

— Il les voit, a dit Zoé.

M. Nicolas a partagé les enveloppes et il a commencé à tamponner. C'était une musique très personnelle, un tamponnement sur deux notes, selon que le coup frappait l'encreur ou le papier.

Elle a essayé de se caler sur son rythme. Elle avait déjà essayé la veille. En vain. Soit elle tapait trop vite, soit trop lentement. Elle avait beau faire, elle était toujours en décalé, on entendait deux tampons, celui de M. Nicolas et le sien.

Alors qu'elle aurait voulu n'en entendre qu'un.

M. Nicolas a fini son tas. Ensuite, comme tous les autres soirs, il a regroupé ses affaires, les a soigneusement rangées, il a repoussé sa chaise sous le bureau et il est parti.

Jeanne est sortie. Il faisait beau. Elle avait du temps. Elle a marché. La ville était pleine de lumière. Elle a pensé à Martin. Où est-ce qu'il était? Il lui avait donné le nom de son hôtel. Elle aimait l'idée qu'elle allait peut-être le croiser. Par hasard. Il lui suffisait de traîner. L'errance provoque les rencontres. Elle pourrait l'appeler? Elle avait enregistré son numéro dans ses contacts. Ils se retrouveraient quelque part.

Mais quoi dire à Rémy?

Le lendemain, quand M. Nicolas a pris son tampon, elle a pris le sien. Pas question de se faire surprendre, c'est la surprise qui fait l'erreur. Elle a refermé sa main. Une prise souple. Très concentrée. Il ne devait pas y avoir de différence entre le tampon et la main. Le tampon devait être le prolongement des doigts. Un mauvais départ l'obligerait à accélérer pour rattraper, se caler et retrouver le rythme. Ça paraissait facile, ça ne l'était pas. Une telle synchronisation exigeait de la précision, une parfaite évaluation de l'espace car les timbres étaient de tailles différentes selon qu'ils étaient de collection ou d'acheminement lent.

Jeanne a bloqué sa respiration, trop tôt, elle est partie en décalé, juste après lui, à cause d'un dernier regard sur sa main. Elle est parvenue à se superposer, un même bruit unique pour deux mouvements différents, mais seulement à la fin, alors qu'il ne restait que quelques lettres.

Il lui a fallu plusieurs jours d'entraînement. Le jeudi, elle était prête. Elle n'a pas regardé M. Nicolas. Ni lui. Ni sa main. Calme-toi, mon petit cœur… Elle a pris le tampon quand elle a perçu qu'il prenait le sien. La liasse des lettres. Une cinquantaine chacun. M. Nicolas a ouvert son encreur, elle a ouvert le sien. Deux gestes en miroir. Une fois le geste parti, rien ne pourrait l'arrêter.

M. Nicolas a levé son tampon, elle ne l'a pas regardé, elle l'a senti, le geste un instant suspendu, elle a bloqué sa respiration, l'a relâchée lentement, et avec la perfection d'un ralenti, ils ont frappé l'encreur, tous les deux ensemble, au même moment. La main de Jeanne n'a pas tremblé. Le premier coup a tapé juste, il a frappé le point précis, mordant à la fois sur le timbre et sur le papier, partageant le timbre à demi, comme il le fallait. Pas question de s'attarder. Les autres coups ont suivi, il n'y avait qu'un son, qu'une seule main, une seule pile, un seul geste, une synchronisation magnifique, il ne fallait surtout pas perdre le rythme de cette perfection, garder ce mouvement joyeux imbriqué jusqu'au dernier coup, le dernier geste, la dernière lettre.

Elle avait réussi !

Elle a reposé le tampon. Elle était épuisée.

Elle a tourné la tête, lentement.

M. Nicolas avait rangé ses affaires. Il n'avait rien remarqué de ce qu'elle avait fait. Déjà il se levait, repoussait sa chaise sous le bureau, s'en allait.

Jeanne est sortie en sifflotant.

Sur le parking, il y avait des pigeons, elle a tapé du pied pour les faire s'envoler.

Il faisait chaud. Plus de trente degrés à l'ombre. C'était la fournaise. Cette chaleur rendait les nuits sèches. Sans air. La météo annonçait la pluie. Pour faire un peu d'air, Rémy avait installé un ventilateur dans la cuisine.

Après le travail, Jeanne était montée à la ferme chercher un peu de fraîcheur. Elle s'était garée dans la cour. Elle avait dû faire attention aux poules qui couraient vers l'auto, à cause des grains que Jeanne leur lançait toujours.

Les parents ne se plaignaient jamais, ni du chaud ni du froid. Ils tiraient les persiennes, disaient qu'il fallait bien que l'été se passe.

Le père était au chemin, avec la faux. Il avait sué. La chemise pendait, ouverte sous l'effort. La mère était au jardin. Pliée. Elle a tourné la tête. N'a pas relevé le dos. S'est juste épongé le front d'un revers de bras. Les soins réguliers du corps se feraient le soir, la porte fermée à clé, dans le bac en faïence. La mère s'y repliait. Le père faisait ça à genoux. Le samedi, ils prenaient plus le temps, lavaient à plus grande eau, le corps et les cheveux.

Sur le rebord de la fenêtre, il y avait un cageot de pêches, certaines étaient bleues. La moisissure attirait les guêpes. Jeanne s'est avancée.

— Ça va, la M'mé ?

La M'mé a opiné. Au plus chaud, elle restait sous la remise, avec le chien. Desséchée. Elle avait les deux pieds dans la bassine. L'eau tirée du puits. Elle était jaune. Les guêpes abandonnaient la pourriture des pêches pour venir boire cette eau.

Jeanne a entendu siffler. C'était Zoé, elle était au pied du grand orme. Dans l'ombre épaisse. Elle enlaçait le tronc de ses mains. C'était un arbre immense. Ses bras étaient trop petits pour un tronc pareil. Elle renversait la tête, regardait le ciel bleu entre les branches. Attendait la pluie.

Jeanne l'a rejointe.

— Tu veux que je t'aide à grimper ?

Elle a fait non avec la tête.

Jeanne a insisté, Je te fais la courte échelle ? De là-haut, tu verras loin, les autres maisons et les prés, jusqu'aux villages voisins et les montagnes. De là-haut, tu appelleras la pluie.

Zoé est restée blottie contre l'écorce.

— Si je suis dans l'arbre, je ne verrai plus l'arbre, et c'est l'arbre que je veux.

L'orage a éclaté en milieu d'après-midi. Lorsque Jeanne est sortie de la poste, il pleuvait encore. Une pluie d'été, fine, très serrée, les caniveaux débordaient. Jeanne n'avait pas de parapluie. Pour ajouter au désastre, les bus étaient en grève. Elle a rabattu sa capuche et elle a remonté la rue.

Il est arrivé sur le même trottoir, lui aussi arc-bouté. Étrange coïncidence. Un hasard. Il sortait de son hôtel. Il n'aurait pas dû être là, c'est ce qu'il lui a dit, un rendez-vous décalé. Il était pressé. Déjà en retard. Et la pluie qui tombait. Lui non plus n'avait pas de parapluie. Il l'a dépassée. Tu as mon numéro, tu m'appelles... Déjà, il partait. Et il s'est arrêté. Il est revenu sur ses pas. Il l'a regardée. Elle a ri comme si ce regard ne lui était pas destiné.

Il pouvait quand même prendre cinq minutes. Était-elle disponible ? Il y avait un bar en face. Il lui a attrapé la main et il lui a fait sauter les flaques. Il était gai soudain, plus du tout pressé.

Une fois assis, ils ont parlé d'ici, de la ferme, d'Annecy où lui vivait, de leurs anciens copains, certains qu'elle avait oubliés, des professeurs aussi, au lycée. Il avait commandé un café, elle un thé à la pomme. Son téléphone a sonné deux fois, il a répondu à la deuxième, a dit qu'il était en route, oui, pas très loin, sur le point d'arriver.

Ils s'étaient revus, sans qu'ils le décident. Il a dit que ça serait bien qu'ils se revoient encore.

Il avait ses mains autour de la tasse. Il allait vraiment falloir qu'il y aille.

Il a laissé la tasse.

Il est parti.

Elle est restée.

Elle a pris le sucre, encore dans le papier.

Elle a écrit dans son carnet : Suivre un homme, s'asseoir avec lui et prendre un thé alors qu'il pleut.

Le soir, elle a préparé le dîner, une omelette avec les œufs que la mère avait donnés. Elle a partagé l'omelette en deux. A fait glisser les parts dans les assiettes. Elle avait faim. Et elle adorait les œufs.

Après dîner, elle est sortie dans le jardin. La pluie avait fait déborder le bac dans lequel venait boire le renard.

Il avait dit que le chantier était long, il serait dans la région sans doute jusqu'à l'automne, avec des allers-retours à Annecy. Que sa maison d'Annecy n'était plus si importante, qu'elle l'avait été beaucoup, du temps de sa famille.

Quand a-t-il dit ça ? C'était peut-être avant, alors qu'ils étaient encore sur le trottoir ? Non, la chose ne s'est pas dite sur le trottoir. Elle s'est dite dans le café. Que tout ce qu'il possédait tenait dans une valise et qu'il était comme ça, depuis quelque temps, capable de s'en aller.

Qu'à l'automne, il serait parti.

Comme s'il lui disait, Nous avons jusqu'à l'automne. Ce n'est pas cela, non bien sûr, quelle idée ! C'est elle qui s'imagine.

J'ai souvent pensé à toi, il l'a dit aussi.

En sortant de la poste, on a présenté à Jeanne une pétition pour la défense des poules en batterie.

Pour s'amuser, elle n'a pas signé de son nom, mais du nom de Marina Abramović.

Les filles auraient dû venir mais elles ont annulé au dernier moment. Jeanne avait déjà préparé les repas, quoi faire à présent de tout cela ? Elle a mis une grosse part de gratin dans une boîte. Elle a traversé l'impasse.

Suzanne lisait dehors, vautrée dans son fauteuil. Jeanne a brandi la boîte. Un polar à finir, il lui restait deux pages, Suzanne a montré à Jeanne, trop de suspense, elle ne voulait pas s'en arracher. Elle a fait un geste vers la maison.

Jeanne est entrée. À l'intérieur, c'était le grand désordre, c'était comme ça, depuis que Jef était parti. Le bazar partout. Même dans la tête de Suzanne.

Jeanne a ouvert le frigidaire. Sur les rayons, il y avait de la soupe en brique, des harengs marinés, un pot de gros cornichons, une boîte de bœuf séché. Tout était très salé. Elle disait que le sel la calmait. Il y avait des barquettes de confiture aussi, par dizaines, et des portions de gruyère sous cellophane que Suzanne récupérait à l'hôtel.

Et une photo de Jef, aimantée sur la porte, avec deux trois cartes postales.

Jeanne a glissé la boîte.

Elle est ressortie.

Il faisait beau. La pluie avait fait pousser l'herbe autour de la maison. Suzanne terminait son histoire, elle avait le visage dans les pages. Jeanne a attendu qu'elle finisse. Elle s'est accoudée à la barrière. Les frères Combe étaient devant le 2, ils lançaient un boomerang, à tour de rôle, visaient, sur le fil à linge, le tee-shirt jaune du garçon androgyne. Deux fois, le boomerang en a fait le tour. La troisième fois, il s'est pris dans le fil. Est resté accroché. Les deux plus grands ont obligé le plus jeune à aller le récupérer. Ils l'ont bousculé, lui ont donné des coups dans le dos.

Suzanne a refermé le livre. Elle était déçue. Le crime aurait dû être parfait, il ne l'était pas. Mauvaise fin. Trop prévisible.

Elle a posé le livre sur le mur.

Elle a regardé du côté des Combe, ils crânaient parce qu'ils avaient récupéré le boomerang et le tee-shirt qui allait avec.

— Quand les cons voleront, ils resteront pas au sol, ceux-là…

Elle s'est servi un verre. Un meursault, qu'elle avait trouvé dans le placard et puis ouvert à son retour du travail. Le vin était bon. Elle est sortie le boire dans le jardin. Le ciel était clair au-dessus de la ville mais sale plus au nord. Rémy n'allait pas tarder.

Elle pensait à Martin. À cet homme qu'elle avait connu, avant Rémy. Et qui était là, à nouveau. Elle avait envie de le revoir. Elle lui avait donné ce rendez-vous à la fontaine de V., il n'était pas venu seul. Il avait trouvé ses copains en chemin. Qu'est-ce qui se serait passé s'il avait été seul ? Est-ce qu'elle aurait duré, leur histoire ? Est-ce qu'elle aurait existé ? Est-ce qu'ils auraient eu une maison à eux ? Des enfants ? Une histoire, un destin ? Ou rien.

Elle pourrait lui téléphoner pour lui demander pourquoi il n'était pas revenu ?

Le 18 h 01 est passé. Elle a regardé les wagons, les habitués, le professeur était à sa place, la dame au chapeau bleu dans le train suivant.

Elle a sorti son téléphone.

Elle a effleuré l'écran. Son pouce, sur le numéro. Elle n'avait pas écrit son nom en entier. Juste l'initiale M. Écran tactile, le numéro s'est composé, vite, instantanément. Elle a tout arrêté. Quelle folle elle était?

— Tu fumes maintenant?

Elle s'est retournée. Rémy était sur la terrasse, avec son sac à main, il avait fouillé dedans, par besoin de monnaie, avait trouvé le paquet de cigarettes, le brandissait. Il la regardait. Il attendait qu'elle réponde.

Jeanne s'en fichait qu'il fouille, elle n'avait rien à cacher, tout était commun.

Elle s'en fichait, oui, mais elle, elle ne le faisait pas.

Elle a repris le sac. Le paquet. Elle a expliqué qu'un client de la poste l'avait oublié et qu'elle l'avait récupéré pour le lui rendre.

Sur la boîte aux lettres, Rémy avait collé une étiquette, M. et Mme Rémy Savoie. Sur le carnet de
chèques, leurs noms étaient écrits comme ça aussi,
et sur tous les papiers administratifs. Son prénom
à elle n'y était pas. Comme si elle avait été effacée.
Effacée, pour être devenue lui. Les filles prennent
le nom des maris, c'est ainsi, depuis tout le temps,
c'est la mère qui le dit.

Rémy était retourné dans le salon, il avait branché la télé. Jeanne a repris le paquet de cigarettes du
sac, elle l'a glissé dans une boîte à chaussures, avec
Le Monde laissé par Martin le jour où elle l'avait
suivi, sans savoir que c'était lui, le sucre dans son
papier et la pièce de vingt cents de Slovénie.

La boîte, après, sur le rayon du haut dans l'armoire des vieux vêtements.

Le bonheur, ça n'existe pas, on devrait arrêter de faire croire ça aux gens, ils seraient bien plus heureux, c'est le frère de Rémy qui a dit cela, à peine arrivé. En poussant la porte. Comme quoi le bonheur c'est seulement des petits instants et qu'il fallait avoir des principes, savoir de quel côté on était, et en cas de coup dur, vite choisir son camp.

Il a embrassé Jeanne en finissant sa phrase. Jeanne ne savait pas choisir. Elle restait neutre. Neutre, ça n'existe pas.

Il était passé prendre l'apéritif avec sa femme.

Sa femme s'appelait Mélanie, mais tout le monde l'appelait Mélie. La soirée était douce, ils se sont installés à la table dans le jardin. Quand il a vu la bouteille de meursault entamée, Rémy a râlé, un vin qu'il avait mis de côté pour boire spécialement avec eux, il n'était pas vraiment ravi.

C'était un couple particulier. Lui parlait beaucoup. Elle, pas du tout. Quand elle était seule, oui, mais pas quand elle était avec lui. Quand Jeanne la questionnait, Est-ce qu'elle allait bien? La maison? Son travail? C'est lui qui répondait, pour elle, à sa place, comme si elle n'était pas là. Il faisait toujours ça. Il croyait pouvoir le faire. Alors qu'elle était là.

Mélie ne lui reprochait rien, elle semblait s'en ficher.

Ça énervait beaucoup Jeanne, elle ne le montrait pas mais, à l'intérieur, elle bouillonnait.

Jeanne a pris un verre. Le meursault lui montait doucement à la tête.

Le frère de Rémy a continué. De répondre pour Mélie. Alors Jeanne s'est énervée. Elle a montré la bouche de Mélie, ses lèvres. A pris son visage entre ses mains. Pourquoi tu expliques tout à sa place ? Tu crois que tu la connais au point de pouvoir répondre pour elle ? Elle s'est emportée. Regarde, sa bouche n'est pas cousue, elle peut parler !

Le frère de Rémy s'est marré.

— On est mariés depuis vingt ans.

— Et alors ?

— Je la connais par cœur...

Jeanne était furieuse.

— Par cœur, ce n'est pas connaître.

Ils l'ont tous regardée. Même Mélie. Elle semblait gênée. Jeanne s'est excusée. Elle a repris sa place. Mais elle ne s'est pas calmée.

Elle a tendu la main pour prendre un toast.

Elle a senti qu'elle saignait du nez. L'instant d'après, une tache est tombée sur la nappe. Une autre, à côté.

Il était un peu plus de 20 heures, elle a branché son téléphone. Il y avait deux messages, un d'Emma qui rappelait l'anniversaire de Zoé et demandait si les filles seraient là. Le deuxième, c'était Martin, "Quelqu'un a essayé de m'appeler... Jeanne, c'est toi ? Tu me dis, hein, si c'est toi ?"

Le message serait sauvegardé huit jours.

Il fallait composer le 3 pour le rappel automatique.

Il a décroché. Tout de suite.

Il était à la chapelle, le réseau passait mal. Il est sorti mais, même sur le parvis, ça passait mal aussi. Ça s'est fini en pointillé. La liaison coupée. Plus de voix.

C'est lui qui a rappelé. Le lendemain. Il était tôt. Peut-être dormais-tu encore ? Elle a dit qu'elle ne dormait pas. Que le samedi, elle se levait encore plus tôt que les autres jours, pour profiter du calme. Elle était seule, Rémy était parti à la pêche.

Elle s'est installée sur un transat.

Il a dit que lui aussi aimait les aurores. Il lui a parlé des fresques qu'il restaurait, de cette chapelle magnifique dans le château de Saint-Hilaire. D'en haut on surplombe la plaine, c'est portes ouvertes ce dimanche, ils pourraient venir, elle et Rémy ?

Elle a dit que Rémy n'aimait pas les vieilles pierres.

Dans ce cas, ne pourrait-elle pas venir sans lui ? Saint-Hilaire, ce n'est pas si loin. Elle a dit oui, que peut-être elle irait. Elle savait qu'elle n'irait pas. Comment aller quelque part sans Rémy ? L'un sans l'autre, ce n'était pas l'habitude. Et puis il y avait l'anniversaire de Zoé, les filles seraient là, tout était prévu de longue date, impossible de s'échapper.

Avant de raccrocher, il a dit qu'elle n'était pas obligée de prévenir, elle pouvait venir à l'improviste, que ce serait bien si elle passait le matin à cause de la lumière qui était magnifique sur la vallée.

Son cœur s'est un peu emballé.

Entre les heures au guichet, la maison, Rémy, les filles, Jeanne n'avait guère de temps pour penser à la lumière. Elle ne s'en plaignait pas, non, ce n'est pas ça. Mais il y avait toutes les choses à faire.

Les choses de l'habitude.

Les dix ballons pour Zoé se sont envolés dans le ciel bleu de la ferme. Un ballon par année de vie. Le chien a voulu les rattraper, il sautait comme un fou en leur aboyant après.

Tout le monde était gai.

La table était dressée dans la cour, sous la fraîcheur du marronnier. Elle était recouverte d'une nappe à fleurs en plastique brillant. Un plat de cerises rouges. Les cadeaux étaient à côté. La mère a apporté le gâteau, il était recouvert de pâte d'amande rose. Les bougies étaient vertes. Zoé les a soufflées. Emma a pris des photos. Zoé, dans sa petite robe de fête, qui ôtait les bougies. Distribuait les parts. Margot a dit qu'elle était née le même jour que Rihanna, elle en était fière. Zoé a voulu savoir qui était né le même jour qu'elle? Les filles ont cherché sur leur iPad, elles n'ont trouvé personne.

Zoé s'en fichait.

Abramović était née le même jour qu'Ulay. Pas la même année. Mais le même jour. Jeanne ne l'a pas dit. À part Rémy, personne ne connaissait Abramović. Qu'auraient-ils pensé? Qu'elle faisait sa fière?

Jeanne avait fêté tous ses anniversaires dans cette maison. Qu'avait-elle fait de toutes ces années? Des dernières surtout ? Sylvie a téléphoné. La mère a répondu. Jeanne a croisé les yeux complices d'Emma, des yeux qui riaient parce que c'étaient toujours les mêmes mots, des mots qui disaient que tout allait bien, oui, il faisait beau, c'était l'anniversaire de Zoé, ils étaient tous dehors, même la M'mé.

La mère est revenue à la table, Vous avez le bonjour de Sylvie. Emma a dit, Elle aurait pu quand même envoyer un cadeau.

Jeanne a tracé des barres sur la première page du journal, une pyramide pour calculer le nombre de bougies que Zoé avait déjà soufflées. En dix ans de vie. Elle a trouvé cinquante-cinq bougies. Elle l'a dit à Zoé.

— Et toi, tu as quel âge ?
— Quarante-trois.
— C'est beaucoup ?
— Je ne sais pas... Ça dépend... Mais un peu, oui, quand même.

Zoé a hoché la tête.

— Et tu veux vivre encore longtemps ?

Tout le monde a ri.

Jeanne a dit, J'aimerais bien, oui.

Abramović voudrait vivre au-delà de cent ans, elle considère qu'à cet âge on a réglé tous les problèmes, on ne cherche plus à plaire, on peut enfin se concentrer sur les vraies questions et la vie devient intéressante.

Le père est allé pisser dans le jardin. La mère a dit qu'il faudrait fêter des anniversaires plus souvent, que cette gaieté faisait du bien à la M'mé. Qu'elle mangeait davantage quand il y avait de la vie. Rémy a parlé politique avec le mari d'Emma.

Les filles, celles d'Emma et celles de Jeanne, ont passé leur temps au téléphone.

Jeanne les regardait, tous. Elle regardait leurs visages. Elle les aimait. Ils étaient sa famille. Est-ce qu'ils savaient qu'elle les aimait tant? Elle aurait voulu leur dire, Écoutez-moi, j'ai quelque chose à vous dire…

Et elle, combien avait-elle soufflé de bougies? Il devait y avoir une formule mathématique pour calculer ça. Elle a refait une pyramide rapide à côté de celle de Zoé. Le papier du journal était fin, il se froissait. Elle s'est embrouillée dans toutes ces barres, elle a dû recommencer. Aux cinquante-cinq bougies des dix ans, elle a ajouté 11 + 12 + 13, il fallait continuer jusqu'à 43, ça faisait une addition interminable. À trente ans, et à condition de n'avoir sauté aucun anniversaire, elle avait déjà soufflé 465 bougies. Elle a dû poursuivre le calcul en plusieurs fois, avec des sous-résultats.

Quarante-trois ans, 946.

À quarante-quatre ans, elle en sera à 990 bougies.

Et à quarante-cinq, elle passera les mille.

Elle a reposé son stylo. Elle n'ira pas au-delà de mille. Elle fêtera donc ses quarante-quatre ans et basta. Est-ce qu'il y avait des anniversaires palindromes? Dix ans et onze ans l'étaient, avec 55 et 66 bougies soufflées. Il devait y en avoir d'autres?

Jeanne avait apporté des chocolats. La boîte a créé un mouvement autour de la table. La M'mé a tendu la main.

— Il ne lui en faut pas, a dit la mère.

— Qui dit ça?

— Le docteur… Comme aux chiens.

— Il ne peut pas dire *comme aux chiens*.

— Non, mais il dit pour la M'mé.

La mère a serré les lèvres.

La M'mé a regardé partir la boîte.

Le pied de Jeanne s'est mis à trembler sous la table. On avait servi le café. Elle a bu une gorgée. Dans le mouvement, elle a croisé les yeux du père. Elle s'est crispée. La M'mé s'était mise à chuinter, à voix très basse, une histoire qui semblait merveilleuse mais dans une langue qui n'existait pas. Jeanne lui a pris la main. Sa main ressemblait à un arbre. La M'mé était là et, un jour, elle n'y serait plus. Il y aurait le fauteuil vide et on se souviendrait d'elle. Pareil pour la mère.

Jeanne n'aimait pas penser à ça.

Les femmes ont débarrassé la table. La M'mé s'est déplacée jusqu'au fauteuil en osier, dans l'ombre fraîche de l'arbre. Elle a dit, Dans ma vie, j'en ai fait des choses, j'ai pas tout fait, mais j'en ai fait…

La M'mé disait qu'elle ne dormait plus, que c'était comme ça, dans le grand vieux des ans, le sommeil fuit, ça laisse du temps mais il n'y a plus la force.

Rémy a lu le journal, il l'a laissé sur le banc, il est allé jouer aux boules avec le beau-frère et le père. La mère les regardait. Les filles papotaient entre cousines. Le vent faisait voler les pages du journal. Sur la table, il restait la nappe bleue et la corbeille de cerises.

Le téléphone de Jeanne a vibré. Dans son sac. Elle n'a pas répondu. Pas bougé. Huit vibrations. Et puis le silence. Emma était à la table, elle aussi avait dû entendre. Se demander pourquoi Jeanne n'avait pas répondu.

La M'mé a voulu son gilet. Il était dans la maison. Jeanne s'est levée pour aller le chercher. Elle a pris son téléphone. A traversé la cour. Elle sentait le regard de sa sœur. Le chien était couché en travers de la porte, en plein soleil, elle a dû l'enjamber.

La mère avait tiré les persiennes. Toute la vaisselle du repas était rassemblée dans l'évier. Une odeur de vapeur stagnait dans la cuisine, un mélange humide de liquide vaisselle et de nourriture froide. Elle a regardé par la petite fenêtre qui servait d'aération. La mère jouait avec les hommes aux boules. Zoé était à la table, elle sortait ses craies de couleur, dessinait.

Jeanne a écouté le message, le ventre à l'évier. C'était lui. Elle l'avait su, dès que son téléphone avait vibré. Son cœur a cogné. Elle n'était pas habituée. À part Rémy et les filles, personne ne l'appelait. Il était à la chapelle. Il disait, Je crois que tu ne viendras pas…

Zoé avait laissé ses craies. Rémy était toujours aux boules. Jeanne les entendait rire.

Il disait qu'il y avait un parking avant le sentier, où elle pourrait se garer si un jour elle se décidait à venir, la plus belle façon d'arriver au château… Il disait que c'était vraiment un bel endroit, qu'il y serait le mardi…

Jeanne a souri doucement. Elle aimait cette voix qui était rauque et lente. Elle s'est retournée, l'évier aux reins. Elle a sursauté. Emma était là, appuyée à la porte, qui l'observait avec un curieux regard.

Elle a tendu la main.

— C'est la M'mé, elle attend son gilet…

Jeanne a cherché autour d'elle. Le gilet avait glissé derrière le fauteuil. Elle l'a ramassé.

— Ça va ? a demandé Emma.

Elle regardait le téléphone.

— Oui. Pourquoi?

Elle a croisé les yeux de sa sœur.

Elle lui a donné le gilet, a enfilé les gants. Elle a fait couler l'eau. Elle n'avait pas mis la bonde. L'eau s'en allait. Elle la regardait s'en aller.

Emma ne bougeait pas. Elle tenait le gilet contre elle.

Jeanne a remis la bonde.

En levant la tête, elle a vu le visage de sa sœur dans le petit miroir accroché.

Emma avait toujours le gilet serré.

— C'est parce que le père te frappait que tu sursautes dès qu'on t'approche?

Jeanne a haussé les épaules.

— Qu'est-ce que tu dis? De quoi tu parles? Qu'est-ce que tu sais?

— Le père…

Elle a fait glisser les assiettes dans l'évier plein d'eau.

— Il ne me battait pas, il me giflait parfois, mais tous les enfants sont giflés. Tu l'as été aussi.

— Pas comme toi.

Avant de partir, Zoé a couru. Elle lui a tendu une feuille. Une feuille toute blanche. Elle a dit que c'était un dessin. Des papillons. Des papillons? Où ils sont? Jeanne lui a montré la feuille, Regarde, ta feuille, il n'y a rien, où tu vois des papillons?

Zoé a regardé le blanc, le ciel, elle a écarté les mains.

— Ils se sont envolés…

Je suis à la chapelle, mais je crois que tu ne viendras pas… J'y serai mardi après-midi, si tu veux passer. Non, il n'a pas dit si elle voulait passer, il a juste dit qu'il y serait le mardi. Elle pourrait se garer au château, mais le mieux était de s'arrêter sur la place et de poursuivre à pied, cent mètres, c'est vraiment très beau d'arriver au château par ce sentier.

C'était presque un rendez-vous.

Ou c'est elle qui se l'imaginait.

Rémy avait loué un film, Jeanne n'arrivait pas à se concentrer. C'était un bon film pourtant, et c'est elle qui l'avait choisi. Irait-elle à ce rendez-vous ? Elle ne savait pas. Une partie d'elle avait envie d'y aller. Mais pourrait-elle le dire à Rémy ? Plusieurs fois, elle s'est levée. Elle revenait un moment après. Elle fixait l'écran, ne suivait pas l'histoire. À la fin, Rémy s'est énervé, Ça suffit maintenant, qu'est-ce que tu as ?

Elle s'est excusée, a parlé de ces dimanches à la ferme qui la fatiguaient beaucoup.

Elle est sortie sur la terrasse.

La nuit était douce. Des grillons chantaient dans les herbes. Le chat avait chopé un papillon de nuit et il lui mettait les ailes en lambeaux.

Jeanne a regardé dans le fond obscur du jardin, là où le renard avait ses habitudes. C'était son heure. S'il passe, j'y vais, c'est ce qu'elle a murmuré. Elle s'est donné dix minutes après 23 heures, après quoi elle rentrerait.

Le chat est venu s'asseoir à côté d'elle. On aurait dit que lui aussi attendait. 23 heures ont sonné. Rien ne bougeait. Les minutes passaient. Rémy avait éteint la télé. Il l'appelait. Elle n'a pas bougé. Il l'a appelée encore. Il était là, sur la terrasse, derrière elle. Elle a dû se retourner. Il était tard, que faisait-elle ?

Elle n'a pas vu le renard. Peut-être était-il passé pendant qu'elle répondait à Rémy ? Ou alors il les avait entendus et était resté terré ?

Avant de monter dans la chambre, elle a scotché le dessin de Zoé, les papillons envolés, en bonne place, parmi les photos des filles, près du cadre blanc de la photo tombée d'Abramović.

Et pourquoi n'irait-elle pas ? Qu'est-ce qui l'empêcherait ? Après tout, il ne s'agissait que de cela, visiter une chapelle ancienne avec un vieux copain. Elle avait envie d'y aller. Elle croyait qu'elle allait y aller. Mais si elle s'y rendait, quoi dire à Rémy ?

Il fallait qu'elle arrête de tout compliquer.

Elle a mis les radis du jardin dans une coupe, avec des tomates que l'on appelle cerises.

Rémy prenait des mesures dans la cuisine. Ils s'étaient décidés pour le piano de cuisson, à la place de la vieille gazinière, il faudrait tout décaler, gagner quelques centimètres. Pour bien faire les choses, il a parlé de remplacer le plan de travail. Mais s'il touchait au plan, il faudrait refaire les carreaux, c'était un gros projet, qui prendrait tous les congés d'été.

Exceptionnellement, pour cette année, il n'était plus question d'aller à Dunkerque.

Jeanne s'est calée contre le mur. Elle le regardait. Il était à genoux, avec le mètre dérouleur. Il prenait des mesures, laissait des petits coups de crayon sur le sol pour marquer les limites.

C'était un enthousiaste. Elle aimait beaucoup le regarder bricoler.

C'est lui qui lui avait montré la mer la première fois. Quand ils s'étaient rencontrés. Celle du Sud. Pour comparer ses yeux au bleu des flots. Il avait dit que ses yeux étaient plus limpides. Et aussi qu'il se noierait si un jour elle le quittait. Qu'on puisse vouloir mourir pour elle, Jeanne avait trouvé cela romantique. Il avait garé l'auto sur la plage. Ils avaient fait l'amour avec la mer qui léchait les pneus. Pour Jeanne, c'était la première fois. Le matin, il y avait des oiseaux partout. Elle avait pensé que c'était un bon présage.

Rémy s'est relevé. Il s'est gratté le front. Il réfléchissait en mordant son crayon.

— J'ai croisé Fayol ce matin, au Brico…

Il a vérifié deux mesures. S'est tourné vers Jeanne.

— Martin Fayol, tu te souviens? Il était au lycée avec nous. Un grand gars, un peu costaud. Il travaille au château de Saint-Hilaire. Montplaisant. Il voulait qu'on vienne voir les fresques. Moi, comme je lui ai dit, les vieilles pierres…

Il a reporté les mesures sur son plan.

— … manque deux centimètres. On va être obligé de sacrifier le meuble d'angle. Ou alors il faut changer l'évier, le prendre un peu moins grand. Qu'est-ce que tu en penses? Tu y tiens, toi, au meuble d'angle?

Il a repris son mètre.

Elle était appuyée au mur. L'arête lui faisait mal aux reins.

— Et si on y allait?

Elle a demandé ça, alors qu'ils montaient se coucher. Elle a dû préciser : Voir les fresques de Montplaisant, demain, après le travail, ça nous changerait?

Rémy a fait non avec la tête, il avait des choses à faire, il voulait réfléchir pour cette histoire d'évier et comment optimiser l'espace de la cuisine.

Mais elle pouvait y aller, elle, si ça lui faisait envie.

Elle a quitté la ville après le travail. Elle a roulé tranquillement. A aperçu le village de loin. Elle l'a traversé doucement. Les ruelles sinueuses. Une pancarte indiquait le château.

Elle s'est garée comme il l'avait dit. Parce que le plus beau était de finir à pied. Elle est restée un moment, les deux mains au volant, à se demander brusquement pourquoi elle était là. Qu'est-ce qu'elle allait faire ? Avec lui ? Un autre homme que Rémy ? Regarder des murs ? Un coup d'œil au miroir du pare-soleil. Ses pommettes étaient rouges. Était-elle encore désirable ? Elle avait quelques rides. Elle s'était maquillée. À peine. Mais un peu. Les femmes se font belles, c'est leur souci. Il y a des hommes qui rendent belles les femmes. Abramović s'était transformée quand le public l'avait aimée, une vraie métamorphose.

Elle est descendue de voiture. Martin, elle l'avait aimé, d'accord, et alors ? Et s'ils n'avaient rien à se dire ? Elle a levé les yeux comme pour interroger le ciel mais le ciel se fichait bien des petits soucis de Jeanne.

On ne renoue pas ce qui a été dénoué, c'est la M'mé qui le dit. Ou bien la mère ? Jeanne s'est moquée d'elle, il n'était pas question de renouer. Et puis renouer quoi ? Il n'y avait jamais rien eu entre Martin et elle. Il fallait qu'elle se calme, elle ne resterait pas longtemps, et il ne s'agirait que de cela, regarder des fresques et parler un peu.

Et puis cette robe à pois, quelle idiote elle avait été de mettre ça ! Ses mollets étaient courts et larges, ils lui faisaient un corps de trapue. La mère l'affirmait, elle tenait ça du côté du père, un physique rustre, campagnard, ce n'était pas l'idéal. Pour compenser, la peau était douce.

Elle a avancé sur le chemin.

Le vent soufflait, une brise de sud. Elle n'aurait pas dû mettre cette robe, le tissu était trop léger, à chaque pas, il se plaquait contre ses cuisses. Elle devait le décoller.

Le château était bâti en hauteur. Sur la gauche, une plaine immense. À droite, les écuries. Un mur d'enceinte. Le chemin se finissait dans la cour.

Sur le parvis, une fourgonnette et une Ford Mustang.

Une lourde porte.

Jeanne l'a poussée. Derrière, un porche donnait sur une petite cour inondée de lumière. Jeanne ne savait pas où aller. Qu'allait-on penser si on la trouvait là ? Il pouvait y avoir un gardien ? Le propriétaire ?

Elle a entendu les bruits d'un marteau, des voix. Elle a traversé la cour. De la musique, une radio sans doute, elle a reconnu *Les Neiges du Kilimandjaro*.

La chapelle était là. Une grande bâche en dissimulait l'entrée, faisait comme une porte. Un couloir à colonnes. Il y avait une longue table à tréteaux avec un banc et des caisses. Sur cette table, des outils, une glacière, du pain, de l'eau, un thermos, des biscuits… Que devait-elle faire ? Passer derrière la bâche ? Appeler ? Ou attendre.

Elle a pensé s'en aller. Elle est revenue vers la porte.

Elle est arrivée au porche comme il ressortait de derrière la bâche. Il y a eu ce court instant où elle l'a regardé avant qu'il ne la voie. Son dos penché. Il sifflait avec la radio.

Et puis il s'est retourné.

Il a eu un temps d'hésitation, presque de recul, comme s'il avait oublié qu'il lui avait parlé de cette possibilité de venir.

Martin a poussé la glacière et tout ce qui encombrait la table, il a étalé le plan, des photos, avant le début des travaux. Il a voulu lui expliquer les différentes étapes de ce travail, les pigments, la peinture, l'écaillement, la cristallisation des sels, l'altération, l'humidité qui circule, qui entraîne cette lèpre, il lui a parlé de cette usure par l'humide, il lui parlait comme si elle connaissait le vocabulaire des murs.

Et puis il l'a entraînée. Derrière la bâche. Il y avait un échafaudage et deux ouvriers.

Il lui a montré l'autel, le blason peint et les anges, il lui a raconté l'histoire, avec des mots précis, un lieu qui était réservé au châtelain et à sa famille. Il ouvrait ses mains comme si elles étaient un livre.

Jeanne regardait les mains.

Ils se sont glissés entre le mur et l'échafaudage. Parce qu'il voulait lui montrer, au plus près, le Christ en croix et la Cène. Les douze apôtres. Il est rare de trouver des apôtres peints dans une aussi petite chapelle.

Les murs. Les couleurs rouges. Cloquées. Gorgées. Sanguinolentes. Des murs qui transpirent ou de la pierre qui pleure. Il a pris sa main, lui a fait effleurer. À cet endroit, la fresque était très abîmée, le visage de Jésus, en partie effacé.

— Il fallait bien que des hommes croient en Lui pour dessiner des choses aussi belles sur des murs. C'est pour L'attendre qu'ils L'ont peint. Ils se sont appliqués.

— Et Il n'est pas revenu.

— Eh non…

Les couleurs remontaient de la pierre. Elles suintaient.

Il lui a montré le visage de Judas, les contours estompés, il manquait du trait, une impression d'inachevé, et pourtant sur ce portrait, le travail était fini, Martin ne le retoucherait pas, il l'a dit, sa mission était de retrouver ce que ces hommes avaient dessiné. Rien de plus.

— Bien sûr, on pourrait inventer du trait pour redessiner mieux, faire plus joli, plus fini, mais ce serait tricher sur ce que ces hommes ont voulu.

Il lui a parlé de saint François d'Assise. Du Curé d'Ars. D'Okakura Kakuzo, un écrivain japonais.

— Il a écrit un magnifique livre sur le thé. Tu connais ?

Elle s'y perdait un peu dans tout ce qu'il disait. Il faisait chaud derrière la bâche. Elle n'arrivait pas à comprendre pourquoi il lui racontait tout ça. Et si vite. Elle aurait voulu l'arrêter, lui dire de ralentir. Qu'elle n'avait pas l'habitude. Sur ses doigts, elle avait de la moisissure de pierre. On aurait dit des lambeaux de peau. Saint François d'Assise, elle ne savait pas qui c'était. Elle a dit, Je ne suis pas croyante, comme pour s'excuser. Il a répondu, Ce n'est pas une question de croyances, mais de beauté.

Ce sont les mots qu'il a prononcés.

Et il s'est tu, tout d'un coup. Il l'a regardée. Il était désolé. Il a dit, Pardonne-moi... Il a répété ça, Pardonne-moi, et aussi qu'il était idiot.

Ils sont restés quelques minutes dehors, à regarder le soleil qui se couchait sur Montplaisant.

Martin avait trouvé la grosse coquille vide d'un escargot de Bourgogne, il la passait d'une main dans l'autre. Il lui a donné la coquille alors qu'elle s'éloignait déjà sur le chemin.

— Elles sont rares, ça porte bonheur.

Ils ne se sont rien dit d'autre.

Elle ne savait pas si elle allait le revoir.

Elle a mimé Charlie Chaplin, en se dandinant, la démarche en canard avec la canne invisible qui tournait.

Elle pensait qu'il ne l'aurait pas vue mais, quand elle s'est retournée, il était encore à la porte, il lui a fait le même signe Chaplin de la main sur le côté.

Au dîner, elle a décrit à Rémy tous les détails de la chapelle. Tout ce qu'elle avait vu. Elle ne se souvenait pas de tous les mots. Seulement que Martin était là. Qu'il lui montrait. Lui apprenait. Et qu'elle avait aimé ce moment.

Le soir, à la télé, il y avait un film de Rohmer, l'histoire d'une fille qui veut se marier, elle rencontre un avocat, décide qu'il est l'homme de sa vie, finit pas s'en persuader mais lui ne l'aime pas.

À la fin, elle renonce et au final tombe totalement amoureuse d'un garçon de son âge qu'elle croisait tous les jours sans le voir.

Rémy n'aimait pas les films de Rohmer. Il disait qu'il ne s'y passait rien.

Elle, elle adorait.

Avant de la quitter, il avait dit, Il faut toujours avoir ça en tête, qu'on est sur cette Terre, à deux mille trois cents kilomètres à l'heure, et qu'on tourne dans l'espace. Et on tient. On ne tombe pas.

— On pourrait en profiter pour la changer ?

Rémy lui a touché le bras. Il lui a montré la table.

Elle s'est secouée.

La table. C'était un modèle carré, qu'ils avaient depuis toujours. Autour, chacun avait sa place, Jeanne le dos à l'évier, Rémy en face, Chloé à droite de Jeanne, dos au jardin, et Elsa en face.

La sienne, Jeanne l'avait prise naturellement quand ils s'étaient mariés. Rémy avait eu un temps la place d'Elsa, mais quand les filles étaient nées, et pour plus de commodité, il avait changé. À présent que les filles n'étaient plus là, il pourrait reprendre sa place des débuts, la plus belle, celle qui avait vue sur le dehors.

Il pouvait.

Mais il ne le faisait pas.

Le soir, elle écrit :

Lettre n° 7

Chère Marina,

Et vous, que faites-vous ? Je vous ai écrit plusieurs lettres mais vous ne répondez pas. Vous ne répondez jamais. Ça n'a pas d'importance. Je pense souvent à vous. Presque tous les jours. Où en est votre travail ? J'aimerais tellement le savoir.

Je vous envoie deux photos prises avec le numérique de ma sœur. La première, c'est le platane de la cour (j'ai lu que vous aimiez les arbres), j'ai voulu écrire directement sur la photo mais, vous voyez, le stylo réagit mal.

La deuxième, c'est moi. Emma n'a pas enlevé le flash, j'ai les yeux rouges.

J'ai lu que vous aimiez les films idiots et que plus ils sont idiots et plus ça vous fait rire. Je suis pareille. Être amies, c'est rire des mêmes choses et c'est pleurer des mêmes.

Elle a raturé ça.
À la suite :

PS : J'ai lu que vous aviez fait peindre votre cuisine en vert et en bleu, je vais essayer ces couleurs pour la mienne car nous allons être en travaux.

L'année du bac, il avait fallu penser orientation, on avait demandé à Jeanne ce qu'elle voulait faire. Danseuse, elle aurait bien aimé. Ou alors être comme Abramović. La mère a dit, Les ambitions font les déceptions, et puis ce n'est pas un vrai métier.

On lui a proposé comptable ou secrétaire.

Après le bac, elle avait travaillé quelques mois dans une usine à pharmacie, elle collait les vignettes sur les boîtes de médicaments. Un temps aussi, elle avait été caissière dans un supermarché, elle ne faisait pas payer les pauvres, elle passait leurs articles les plus chers sans les enregistrer. Un jour, le directeur l'avait convoquée, il l'avait traitée d'inconsciente, elle avait répondu qu'elle était juste sentimentale. Être sentimentale n'est pas une excuse valable, elle avait été virée.

Ensuite, elle avait trouvé un job dans un élevage d'escargots. Un autre de serveuse dans un petit restaurant de village. Et enfin employée des Postes, son travail actuel. C'était arrivé comme une promotion. La mère en avait été fière, elle qui venait des écuries et de la fatigue du corps. Postière, c'est un bon métier pour une fille, et à la ville en plus! toujours au propre et au sec, avec le salaire à la fin du mois, un salaire d'appoint, et l'emploi garanti, dans un couple c'est bien que la femme gagne un peu.

Dans son carnet, elle écrit :
Citation d'Abramović (de mémoire) : *Être artiste, tellement de gens veulent être cela. On veut tous… Mais l'envie ne suffit pas. Il faut que ce soit une nécessité. Qu'on devienne fou si on ne le fait pas.*

Elle a cherché dans le nuancier, elle a trouvé une laque magnifique. Elle l'a montrée à Rémy. On pourrait faire un mur vert et l'autre bleu ? Rémy a hésité, il aurait préféré opter pour une couleur plus sobre, mais Jeanne semblait tellement heureuse alors il a dit, Oui, pourquoi pas…
Après, ils ont regardé sur internet les modèles de piano de cuisson et les modèles d'évier.

Depuis qu'elle regardait les mains, qu'elle s'attardait sur elles pour tenter de deviner ensuite les visages, certains clients venaient spécialement pour Jeanne. Ils délaissaient le guichet de M. Nicolas, choisissaient sa file et tant pis s'il fallait attendre davantage. Elle avait remarqué que des clients qui patientaient dans la file de M. Nicolas quittaient leur place pour passer dans la sienne. Inversement, ceux qui étaient pressés changeaient de guichet, prenaient celui, plus efficace, de M. Nicolas.

Un vieil homme passait tous les jours. Il achetait un timbre, demandait un code postal... Presque rien. Il disait quelques mots. Souriait avec douceur. Il faisait partie de l'histoire de Jeanne.

Jeanne aimait les sourires. Bien plus que les visages. Bien plus aussi que les regards. Les sourires disent beaucoup du dedans. Les timides étaient ses préférés, ceux qui étaient à vif, qui semblaient blessés, les craintifs, les tremblants, ceux-là Jeanne les aimait énormément. Ses filles avaient six semaines quand elles avaient souri la première fois. Certains clients n'avaient pas de sourire et laissaient Jeanne désarçonnée.

En fin de journée, elle était fatiguée par toutes ces émotions.

La nuit, dans ses rêves, elle revoyait tous ces visages, des regards qui se superposaient, kaléidosco-
piques.

Il lui a envoyé un texto : Je prends le train ce soir, celui de 16 h 37. Rendez-vous sur le quai, si tu peux, j'ai quelque chose pour toi.

Quelque chose ? Elle l'avait quitté au château sans savoir si elle le reverrait, persuadée même qu'elle ne le reverrait pas, que chacun allait reprendre sa vie, l'un loin de l'autre, comme ils l'avaient toujours fait. Et il lui proposait de se retrouver ! Il lui donnait l'heure de son train.

Elle savait qu'elle irait.

Les filles devaient venir pour le week-end. Elles arrivaient en général vers 17 heures. Si elles arrivaient avant, elle ne serait pas là.

Elle a regardé ses doigts.

À sa pause, elle est entrée au Sephora. Elle voulait du vernis. La vendeuse lui a proposé de lui faire un *nail art*. Du vernis sur chacun de ses ongles, avec des bandes très fines après, collées.

Jeanne a accepté. Elle s'est assise sur le tabouret. Elle a confié ses mains.

Quelle était cette chose qu'il pouvait avoir pour elle ?
Elle a réfléchi, envisagé quelques possibilités.

Elle a dû courir en sortant du travail. Quand elle est arrivée, il était déjà là, sur le quai 2, direction Lyon.

Pour rejoindre le quai, il fallait passer par le souterrain. Il l'attendait en haut des marches, avec un grand sac.

Il a dit, Je ne pensais pas que tu viendrais.

Elle était rouge, essoufflée. Elle a expliqué que le vendredi, à la poste, était un jour difficile, il y avait toujours des clients de dernière minute.

Il a raconté qu'il rentrait passer le week-end chez lui, à Annecy, il aurait dû partir en voiture mais sa Ford était en panne, impossible à démarrer. La dépanneuse était venue. Une Ford Mustang de 1961.

— J'y tiens énormément mais je ne peux pas lui en demander autant qu'avant et parfois, comme là, je compte sur elle mais, sans avertir, elle me lâche.

Ils ont tourné la tête. Le haut-parleur annonçait déjà l'arrivée du train. Un coup d'œil à la pendule, il restait quatre minutes. La barrière était encore levée, là-bas, dans le virage éloigné. Des voitures passaient.

Martin a sorti un paquet de son sac.

— Pour toi…

Jeanne l'a interrogé des yeux. Un cadeau ? Il lui a fait signe d'ouvrir. C'était un livre. Le livre sur le thé, d'Okakura Kakuzo, il lui en avait parlé à la chapelle.

Elle a déchiré le papier.

A ouvert le livre.

Sur la première page, Martin avait noté une citation de Kakuzo : *Le premier homme de la préhistoire qui composa un bouquet de fleurs fut le premier à quitter l'état animal : il comprit l'utilité de l'inutile.*

— C'est beau..., a dit Jeanne.

— Oui. Et la beauté se partage.

Elle a serré le livre.

— Je peux le garder?

— Il est à toi.

Elle n'avait pas l'habitude qu'on lui fasse des cadeaux en dehors des fêtes ou anniversaires. Elle était très touchée.

Il lui a parlé du Japon comme d'un endroit où il envisageait d'aller.

Il aurait voulu fumer, mais c'était interdit, même sur le quai, alors pour se marrer il a fait semblant, quelques taffes tirées d'une cigarette invisible.

La petite barrière s'est baissée. Il a regardé, là exactement où Jeanne regardait. Le train débouchait lentement, on en voyait la locomotive et puis, accrochés, dans la boucle du virage, les wagons tirés.

Les filles étaient déjà dans la cuisine. Elles avaient mis le plat au four. Tout le monde est passé à table. Jeanne s'est assise à la place de Rémy. Elle n'avait pas fait attention. Elle rêvassait.

— Pourquoi tu te mets là ? C'est la place de papa, a dit Chloé.

Jeanne a regardé la table. Elle a hésité et puis elle a déplié sa serviette. Quelle importance ?

— Les places ne sont à personne, ma chérie.

Chloé était très conventionnelle. Elle a râlé.

— Ce n'est pas la place de papa, a précisé Jeanne en emplissant son verre d'eau. C'est une place que papa a pris l'habitude d'occuper, que nous avons accepté de lui laisser. Qu'est-ce qui te dérange tant ?

— Je n'aime pas changer mes habitudes.

— Les habitudes sont faites pour être changées.

— Je ne vois pas pourquoi.

Chloé avait les ongles blancs, signe de contra-riété. Jeanne a découpé quatre parts de la quiche odorante.

— Question de paysage. Par exemple, de cette nouvelle place, je vois l'évier, les placards, choses que je ne voyais pas avant. Et si je prenais ta place, ou bien celle d'Elsa, je verrais des choses que je ne soupçonne pas et qui m'apporteraient peut-être du plaisir.

— Mais inversement, il y a des choses que tu voyais et que tu ne verrais plus.

— C'est le risque.

— Moi, si j'ai une vue qui me convient, je ne vais pas prendre le risque de la perdre pour un hypothétique mieux.

Jeanne a souri.

Elsa écoutait sans répondre.

— Maman a pris ta place, a dit Chloé quand leur père est entré dans la pièce.

La main de Rémy s'est posée sur le dossier de la chaise restant libre. Il a dit que ça sentait bon, qu'il avait faim.

Il a tiré la chaise sans faire d'autre commentaire.

Au petit-déjeuner du lendemain, Jeanne a volontairement pris la place de Chloé. Elsa a demandé s'il y avait un sens, quelque chose à comprendre, qui leur échappait ? Jeanne a dit que non, c'était juste un peu de vent dans le quotidien.

Elle a continué son jeu pour le déjeuner. Les filles ont trouvé ça agaçant. Elles avaient eu une semaine pénible, elles voulaient se reposer.

Est-ce que ça allait durer longtemps ?

Jeanne ne savait pas.

En riant, elle a pris la place de Rémy.

Les filles ne trouvaient pas ça drôle. Elles soupiraient, échangeaient des regards navrés.

Au dîner, elles se sont prises au jeu. Elles se sont chamaillées pour avoir la place de leur mère. La meilleure, elles imaginaient. Celle du chef ! C'est

Elsa qui l'a eue. Chloé s'est rabattue sur celle de son père.

Jeanne avait préparé des pâtes japonaises au lait de coco. Elle a mis le wok sur la table. Les filles ont recommencé à râler. Elles ont dit qu'elles étaient contre les sociétés permissives, que ce n'était pas un modèle idéal. Elles ont argumenté, développé, les hommes ont besoin de règles, oui, elles pensaient cela, et que c'était à la liberté de s'adapter à ces règles.

Rémy leur a dit qu'elles étaient trop sérieuses pour leur âge. Elles se sont vexées. Elles ont voulu que leur mère explique pourquoi elle faisait ça.

Il n'y avait pas d'explication. Jeanne s'amusait. Elle dérangeait un peu le quotidien. Elle trouvait cela très drôle, très instructif aussi, ça lui faisait du bien.

Les ongles de Chloé n'étaient plus blancs. Aucune remarque, pas un seul haussement de sourcils.

Elle s'était résignée.

— Notre mère est folle…

Le dimanche, tout le monde a voulu récupérer la "bonne place", celle avec la vue sur le jardin. Initialement, c'était celle d'Elsa, mais puisque tout était permis ! Du coup, même Rémy a tenté de l'avoir.

Jeanne les a regardés se disputer.

C'était très drôle.

Sept plans de table en tout. Combien ça faisait de placements différents pour une famille de quatre ? Jeanne a dessiné une table. A attribué un numéro à chacun, pour Rémy le 1, elle le 2, et les filles, 3 et 4. Elle a combiné, 1234, 2341, 3412, 4123…

Elle a trouvé vingt-quatre possibilités de placements. À raison de six repas par week-end, il faudrait quatre week-ends pour en voir le bout.

Jeanne a décidé d'arrêter ces changements intempestifs, elle n'irait pas au bout des vingt-quatre possibilités.

Elle les a regardés. Elle leur a dit cela, qu'elle les aimait, qu'elle les aimait vraiment, et davantage qu'elle ne s'aimait, et elle a repris sa place des débuts, au plus pratique, près de l'évier.

Avant de s'endormir, elle a lu le premier chapitre du livre de Kakuzo.

Suzanne a plissé les yeux.

— Tu as changé quoi ?

— Rien.

— Je vois bien que tu as changé un truc…

Elle est venue la regarder de près.

— T'as fait des mèches ?

— Quelques-unes.

— Pourquoi t'as fait ça ? T'as des blancs ?

— Comme tout le monde.

Suzanne a hoché la tête.

Soudain, elle a bondi, côté garage. Elle a gueulé, les frères Combe s'étaient glissés le long du mur, ils étaient passés derrière la maison et ils étaient en train de voler ses framboises. Ils ont détalé. Elle leur a crié de faire gaffe. Elle les avait déjà prévenus, Vous passez chez moi, vous venez piquer mes fruits, je vais mettre des pièges, faut le savoir.

Elle a bien averti, Si j'en chope un autour de mes fruits…

Et elle a montré ses mains larges.

Suzanne, c'était une douce, mais il ne fallait pas l'emmerder. Les Combe se sont marrés, ils n'avaient pas peur des mains. Ni de celles de Suzanne ni de celles de personne.

Elle est revenue dans son fauteuil.

Elle a fait tourner son alliance, dans un sens et puis dans l'autre, plusieurs fois. Elle regardait les mèches de Jeanne.

— Tu as déjà trompé Rémy, toi?

Jeanne a fait non avec la tête. Tromper Rémy! Comment pouvait-elle penser? Jamais infidèle, même pas dans ses rêves. Et puis le tromper, avec qui? Non, non, ça, elle ne pouvait pas. Même l'envisager. Elle était de la race des cygnes, un seul amour et pour la vie.

Elle n'avait pas le physique de Julia Roberts, non plus.

Aucun répit entre deux clients, elle avait enchaîné, pesé, encaissé, expédié. En fin de journée, elle était épuisée. C'est pour ça, elle ne s'est pas méfiée. Avec les clients, elle savait pourtant que ça pouvait déraper. Qu'elle n'était pas à l'abri d'une mauvaise rencontre, un type sur les nerfs qui ne vient pas là pour des timbres mais pour se calmer.

Les clients étaient dans l'ensemble sympathiques, mais la violence pouvait être dans chacun, il fallait l'envisager, M. Nicolas l'affirmait, il avait trente ans d'expérience.

Ça s'est passé un peu après 15 heures. Un client était venu pour récupérer un colis, et à un moment, alors qu'elle ne s'y attendait pas, il s'est penché au-dessus du guichet et il lui a attrapé la main, elle n'a pas eu le temps de réagir. Sa main était prisonnière, elle ne pouvait pas la retirer. L'homme fixait ses doigts. Le bout de ses ongles. Ses ongles vernis, il voulait voir la couleur de près. Il voulait acheter le même à sa fiancée. Le même vernis ! Il était complètement allumé. Qu'est-ce qu'elle pouvait lui dire ? Un flacon, au Sephora, effet pailleté, et les motifs collés. Du *nail art*.

Jeanne est parvenue à retirer sa main.

Elle tremblait un peu.

Il lui était arrivé de se faire insulter, mais on n'avait jamais cherché à la toucher, non, ça, on ne lui avait jamais fait.

Un tel geste, ce n'était pas bien méchant, mais elle avait eu peur, et M. Nicolas n'a pas voulu le laisser passer. Et si ç'avait été un couteau ? Un couteau dans la main, et qu'il l'ait planté ?

Jeanne a répondu qu'elle aurait écarté les doigts, la lame aurait cloué le bureau.

Ça n'a pas fait marrer M. Nicolas.

Il a fait un rapport à la hiérarchie.

Suite au rapport, quelques jours plus tard, M. Nicolas a été convoqué par le directeur de l'agence. Jeanne aussi. Elle a dû expliquer ce qui s'était passé. Elle a juré que ce n'était rien, en tout cas pas une agression, il fallait dédramatiser, juste un type qui vient et qui s'anime un peu.

Ce n'était pas l'avis de M. Nicolas. Pour lui, il fallait agir vite. Dans le rapport, il avait demandé une vitre de protection. Une vitre spéciale, incassable. Des années qu'il la réclamait.

Une simple curiosité de vernis ne pouvait quand même pas entraîner un tel chamboulement ? Jeanne ne voulait pas de séparation entre elle et ses clients.

Le directeur a dit qu'il devait réfléchir. Il a parlé du principe de précaution.

Il n'y a pas eu de violence, elle a murmuré.

Jeanne a lu la suite du livre sur le thé. Elle a pensé à Martin. Il avait dû revenir d'Annecy. Elle a regardé passer les trains, celui de 18 h 01, et le suivant, dix-sept minutes après. Ensuite, avec le petit arrosoir, elle est allée emplir le bac. Le renard était passé, sans doute la veille, elle ne l'avait pas vu mais elle a trouvé des empreintes de pattes dans la terre humide. Les traces se perdaient au pied du mur.

Elle est revenue dans la maison.

Rémy était dans la cuisine, avec sa caisse à outils. Il avait commencé les travaux, avait entrepris de changer les tuyaux sous l'évier. Ça faisait du bruit, un peu de poussière.

Jeanne a classé les dernières photos des filles. Des retirages papier, elle les glissait sous les protections en plastique d'un album, en collant des petites éti-quettes précises pour le lieu et la date.

Jeanne avait tout gardé des filles, leurs premiers cheveux, les dents de lait, les petits vêtements. Qu'il y aurait deux enfants, on les avait prévenus très vite. Pas que ce serait des filles. Le sexe, ils n'avaient pas voulu savoir. Une double naissance. Deux cœurs battants. La mère était venue à la clinique. La M'mé aussi. Pas le père. Le père avait prétexté du travail aux champs.

— J'ai de la chance de t'avoir rencontrée…

Elle a levé la tête. Rémy la regardait. Il avait dit ça en tapotant des petits coups de marteau sur les tuyaux.

— On dirait que ça te rend triste?

Il s'est contorsionné sous l'évier.

— Tu ne comprends pas… Cela veut dire que j'aurais pu ne jamais te connaître.

Elle a refermé l'album.

Il a pris un chiffon pour colmater l'eau qui suintait et éponger celle qui avait coulé.

— Tu es une fille formidable.

— Mon père voulait un garçon.

— Ton père est un con.

Jeanne a ri.

Pas lui.

Il s'est levé. A frotté ses mains au chiffon. Il avait hâte de commencer les peintures. Il avait déjà lessivé le plafond, il lui restait les murs.

— Je suis terrifié à l'idée de te perdre.

Elle a tourné la tête. A regardé dehors, les frères Combe venaient d'arriver avec leur mobylette, ils la faisaient ronfler dans l'impasse, c'était un bruit que Jeanne détestait.

La chaleur montait de la terre. Jeanne écoutait les bruits de l'eau. Ceux de la rivière.

Ces bruits de rivière, elle les aimait plus que ceux du vent.

L'été précédent, le père avait traîné l'ancienne baignoire au milieu du pré, elle faisait une réserve d'eau pour la vache. Zoé était assise sur son rebord. Elle n'avait pas enlevé ses bottes. Ses bottes étaient dans l'eau.

Pleines d'eau.

Jeanne s'est assise à côté. Elle a ôté ses sandales, a glissé ses pieds nus dans la baignoire.

Zoé fixait ses bottes, avec l'eau dedans, elle les balançait doucement.

Jeanne regardait la cour tout en bas, la mère sur le devant de la porte. Le chien couché. Le fenil. La grange. Un potentiel, disait le père.

Le vent léger soufflait, brassait les marguerites.

Un rapace est passé dans le ciel, avec quelque chose de lourd dans le bec. Elles ont renversé la tête pour le regarder. Jusqu'à ce qu'il disparaisse.

Le père a traversé la cour avec deux paniers pesants.

Jeanne a dit :

— Quand il était gosse, ton pépé ramassait les os dans la forêt.

Elle a écouté les bruits de bottes dans l'eau.

Elle a continué.

— Les os. Tous ceux qu'il trouvait, les petits, les gros, ceux des oiseaux, ceux des lapins, il les rapportait, les mettait dans un cageot sous l'escalier… Une nuit, alors qu'il dormait, il a entendu du bruit. Il s'est levé. Le cageot était renversé, il n'y avait plus un seul os dedans… À la place, il y avait un loup, un loup bien vivant, avec des dents de fauve.

Les bottes se sont immobilisées.

— Il avait des poils aussi ?

— Des poils et de la chair et des dents et de la peau. Et des yeux terribles.

— Il a mangé pépé ?

— Zoé, réfléchis un peu…

Zoé a souri. C'était pour rire. Elle a tapoté de sa botte le pied nu de Jeanne.

— Il s'est passé quoi, après ?

— Le loup s'est enfui.

— Dans la forêt ?

— Dans la forêt oui. Les loups, ça veut la forêt. C'était une nuit de pleine lune, alors il a pris par le grand pré, et il a grimpé. Le pré était éclairé comme en plein jour. Pour rejoindre la forêt, il a dû traverser le rayon de lune. Et là, quand il est arrivé au milieu du rayon, il s'est passé quelque chose d'extraordinaire. Il s'est arrêté. Il ne pouvait plus bouger. Ses pattes si agiles s'étaient enfoncées dans la terre, elles étaient devenues des racines, sa peau avait durci, elle était devenue de l'écorce et ses poils étaient devenus des feuilles. À cause de la lune, le loup s'était transformé en arbre.

— Cet arbre existe encore?
— Oui. Et il donne des cerises très rouges.
— Tu m'emmèneras le voir?
— Si tu veux.
— On peut manger les cerises?
— On peut. Mais moi je n'en mange pas.
— Parce que c'est du sang de loup?
Jeanne a hoché la tête.

Le mardi suivant, des vitriers sont venus prendre des mesures pour la vitre. Ils ont fait ça à la pause de midi.

Jeanne a écrit, une longue lettre.

Lettre n° 8

Chère Marina,

Inutile de vous dire que j'ai adoré votre marche sur la muraille. Ma M'mé dirait que l'adoration est réservée à Dieu… Et ce que vous avez fait à la Biennale de Venise! Quand vous avez lavé tous ces os! Je ne savais pas. J'ai vu des photos où vous êtes assise tout en haut du tas, avec votre blouse sale, et vous frottez… vos cheveux qui balayent… J'ai lu que vous aviez fait ça pour rendre la paix aux morts, les innocents, ceux des guerres, ceux qu'on tue et qu'on abandonne dans les rues. Ça a dû être difficile, les os puent, surtout quand il y a un peu de chair autour.

Ce Lion d'Or, je vous le dis, vous l'avez bien mérité!

J'attends avec impatience de voir votre prochain travail mais prenez le temps pour le faire.

Je ne sais pas si vous recevez mes lettres. Si un jour vous venez à Lyon, faites-moi signe, j'habite tout près. Si vous pouviez me répondre. Même seulement deux lignes. Je vous joins une enveloppe avec un timbre, parfois ça facilite.

PS : J'ai bientôt passé la moitié de ma vie, et je me demande ce que je vais faire de l'autre.

Il lui faut un temps infini pour cette unique phrase. La penser et puis l'écrire.

La chaleur excessive des jours passés annonçait l'orage. Depuis le début de l'après-midi, ça se préparait. Les nuages formaient un mur, une barre noire qui avançait.

Les frères Combe avaient piqué le polar que Suzanne avait abandonné sur le mur et ils jouaient au foot avec, ils le faisaient voler comme un ballon.

Jeanne les entendait rire.

Elle sommeillait sur le transat. À plat ventre. Le dos nu à la lumière. Trop de chaleur. Elle s'est relevée, a tiré le transat à l'ombre. Au bout d'un moment, elle l'a replacé au soleil. Et, puis décidément, le soleil était trop piquant, elle a dû le déplacer à l'ombre.

Elle espérait l'orage.

Un orage pour calmer cette touffeur.

Pour faire dégager les frères.

Un train est passé, elle n'a pas ouvert les yeux. Elle était bien, avec le soleil dans les reins, qui lui chauffait la peau.

Rémy est arrivé, elle a reconnu son pas. Il est venu s'asseoir près d'elle avec un Coca et des glaçons. Elle a gardé les yeux fermés, la tête dans les bras.

On était mardi. Il avait un macaron, le suivant dans la liste. Il l'a passé devant son nez. Elle a entrouvert la bouche. En a mordu une bouchée.

— Elle n'a pas fait ça, ton Abramović?

— De quoi tu parles?

— Elle ne s'est pas couchée sur des blocs de glace?

Jeanne a haussé les épaules.

— C'était une croix, pas des blocs.

Tout de suite après, elle a poussé un cri parce qu'il avait vidé la coupe de glaçons sur son dos. Sous l'effet de surprise, elle s'était redressée.

Elle s'est allongée sur le dos.

Rémy a ramassé un glaçon et il l'a déposé sur son ventre.

— L'eau chaude gèle plus rapidement que l'eau froide…

Il a posé un autre glaçon. La peau de Jeanne a frissonné.

— Tu as remarqué, quand on se brûle et quand on se gèle, c'est la même chose, les deux sensations se ressemblent.

Il a continué, jusqu'à plus de glaçon.

Les cubes fondaient au contact de la peau.

Jeanne avait sué. L'eau fondue se mêlait à sa sueur.

Les glaçons étaient à présent tous alignés sur la peau. Rémy en a pris un entre ses dents, il l'a déposé dans son verre de Coca.

Il a versé dans le creux du ventre toute l'eau glacée qui restait dans la coupe.

Jeanne s'attendait au froid. Elle n'a pas bougé. Au contact, l'eau s'est réchauffée. Elle ne ressentait plus le froid.

Rémy a bu son Coca à petites gorgées.

Jeanne est restée allongée, avec cette eau qui faisait flaque.

— Tu crois qu'il va pleuvoir ?

Rémy a fait non avec la tête.

Les premières gouttes sont tombées alors qu'ils dînaient sur la terrasse. En cinq minutes, la rue, le jardin, tout était inondé. Un vrai déluge. Comme si le ciel s'était ouvert.

Ils se sont réfugiés à l'intérieur, en laissant tout sous la pluie.

Elle a détaché un feuillet de l'éphéméride. Elle a glissé les bols dans le lave-vaisselle, un coup de chiffon rapide sur la table.

Un coup d'œil par la fenêtre. L'un des Combe était dans la rue. Pas l'aîné ni le Tête Plate. L'autre, celui du milieu. Il était seul. Son vélo était contre le mur. Il a récupéré le polar. Jeanne l'a vu faire. Il l'a ramassé en regardant autour de lui. Le polar avait pris la pluie. Il s'était trempé. Et puis il avait séché. Au vent et au soleil.

Les pages étaient gondolées.

Il lisait, assis sur le mur.

Quand ses frères sont arrivés, il a vite planqué le livre, derrière lui, sous les branches basses d'un thuya. Il a sauté du mur et il a pris son vélo, il a pédalé crânement sur la roue arrière, d'un bout à l'autre de l'impasse, une course nerveuse, en dérapant des pneus.

Il s'est arrêté juste sous les fenêtres de Jeanne.

Jeanne a croisé ses yeux.

Rémy n'avait plus eu envie de sortir, ils avaient pourtant prévu d'aller au cinéma. Au dernier moment, il s'est affalé devant la télé, il avait lessivé les murs de la cuisine, trop crevé, les pieds sur la table basse, il voulait une soirée tranquille, se coucher tôt, dormir.

Jeanne aussi était fatiguée, elle avait lessivé avec lui. Mais elle avait envie d'une sortie. Elle était sûre qu'il allait changer d'avis. Dès qu'elle serait sur le point de partir, il bondirait, c'était plus fort que lui, il ne supportait pas d'être sans elle.

Elle est allée se changer. Jean noir, chemise à fleurs.

Quand elle est redescendue, il n'avait pas bougé. Il lui a montré la place à côté de lui. Il lui a dit de rester, qu'elle aussi avait besoin de repos. Ils iraient au cinéma une autre fois ? Ou ils verraient le film à la télé.

Elle a hésité. C'est vrai qu'elle était lasse. Le canapé lui a fait envie. Elle a regardé la main qui tapotait le coussin, tentée soudain par le confort familier, ôter ses chaussures et se laisser tomber à côté de Rémy.

Et puis elle n'aimait pas aller au cinéma seule.

Elle pourrait téléphoner à Suzanne? Ou à Martin? Après tout, pourquoi pas?

Une fois dans la voiture, elle lui a envoyé un texto, *Je vais au cinéma voir le dernier Tarantino.*

Elle avait simplement écrit cela, sans plus réfléchir, et ils se sont retrouvés sous les affiches. Quand elle l'a vu, son cœur s'est mis à battre vite. Ils étaient contents de se revoir. C'était tellement incroyable.

Il ne lui a pas demandé, Quelle idée? Ni comment ça se faisait.

Il a payé les places, acheté du pop-corn.

Pendant le film, dans l'obscurité, plusieurs fois, elle a regardé sur le côté, sa main sur l'accoudoir, sa poitrine qui se soulevait sous le tissu fin.

Il est arrivé que leurs bras se touchent. Ils étaient tous les deux en manches courtes. C'était un contact léger, peau à peau. Un effleurement, plus qu'un toucher. Presque rien. Mais les poils de Jeanne se dressaient sur ses avant-bras bronzés.

Après le film, ils ont marché un peu. La ville était calme, ils ont croisé quelques flâneurs, des insomniaques.

Martin repartait, un déplacement à Saorge, aux portes du Mercantour, pour suivre un chantier commencé. Il en visiterait deux autres, encore à l'état de projet. C'est ce qui l'intéressait, sauver des lieux. Il a expliqué à Jeanne que c'était toujours une date importante, la première fois, quand il découvrait un endroit. Un endroit – des murs, des peintures, des couleurs – qui allait devenir un travail, et qu'il devait choisir entre plusieurs autres. Il faisait un premier tri sur dossier et puis il allait sur les sites.

Sa vieille Mustang était réparée mais il ne voulait pas prendre le risque d'aller à Saorge avec. Il irait en train jusqu'à Nice. Louerait une voiture. Il devait ensuite faire un détour en Suisse, à Lausanne, pour rencontrer un mécène. Trouver les fonds, c'était le plus ingrat, mais il aimait son métier.

Jeanne a dit qu'elle aimerait lâcher la poste pour s'occuper des bêtes dans un zoo. Ou bien être mère adoptive d'un bébé bonobo dans une réserve africaine. Sauver des bêtes, comme lui sauvait des lieux.

— Pourquoi tu ne le fais pas ?

— Quoi ? Mère bonobo ?

Elle a ri.

Il l'a regardée rire. Elle lui a dit de ne pas la regarder comme ça. Que ça la gênait énormément.

— Tu me rappelles quelqu'un.

— Une femme ?

— Non, une fille. Une fille que j'ai connue il y a longtemps.

— Tu l'as aimée ?

Elle a demandé ça trop vite. S'il avait aimé cette fille. Il a souri et elle a compris que c'était d'elle qu'il parlait.

Avant de la quitter, il lui a demandé si elle pouvait jeter un coup d'œil à sa Mustang le temps de son absence à Saorge. Elle serait garée sur le parking de la gare. Il lui a laissé un double de la clé. Le double, avec un porte-clés à l'effigie de saint Christophe.

Et aussi son adresse mail, pour le cas où, parce que des fois, là-bas, le portable ne passait pas.

Quand elle est rentrée, Rémy était à sa place comme s'il n'avait pas bougé.

— Tu m'as attendue ?

Il ne dormait pas.

Elle s'est assise sur le divan, à côté de lui.

Elle lui a raconté le film, un peu.

Elle ne sait pas si elle pense à lui les jours suivants. Elle ne croit pas. Ou alors à peine.

Ou alors tout le temps.

Elle a visionné sur internet des images de Saorge, les rues, l'histoire, le monastère. Elle a lu des textes sur saint François d'Assise. Elle voulait tout apprendre. Trop sentimentale, c'est la M'mé qui le disait.

Elle devenait déraisonnable. Quelle idiote elle était ! Elle s'est rabrouée, Ma fille, ma pauvre petite fille ! Ça n'avait pas de sens. Était-elle amoureuse ? Elle ne pouvait quand même pas l'être ! Elle était mariée, avait deux filles, une vie sage, rangée. Un coup d'œil à la pendule : deux filles qui allaient arriver !!! Et il y avait mille choses à faire ! Et rien n'était prêt.

Déjà, Rémy appelait, Les filles sont là !

Elles portaient des shorts en jean. Courts. Jeanne leur a dit qu'ils étaient un peu trop courts, elles ont répondu qu'elles étaient bien dedans.

Elles voulaient aller en ville. Il leur fallait des robes nouvelles et aussi des sandales.

Elles ont insisté pour que Jeanne les accompagne, Maman, s'il te plaît… Elles étaient jeunes et si belles. Leurs batifolages superficiels, au milieu des cintres, dans les cabines d'essayage, par cette chaleur.

Elles s'en allaient. Elles les quittaient. C'est ce qui arrivait. Ce qui leur arrivait, à elle et à Rémy.

— C'est la vérité, non?

Rémy a tourné la tête. Il avait préparé ses cannes, avait prévu quelques heures à la pêche.

— De quoi tu parles?

— Les filles…

Il est parti. Les filles aussi.

Elle est restée.

Le jardin semblait pris dans la torpeur. Même le chat fuyait le dehors. Jeanne a tiré les volets. Avant de les refermer tout à fait, elle a aperçu le garçon du 5, sa silhouette androgyne, il rentrait chez lui en longeant les rails, passait par les voies pour éviter la connerie des Combe. Dans cet air vibrant, on aurait dit un mirage.

Une fois les volets tirés, il a fait sombre dans la maison.

Elle a envoyé un texto à Martin pour lui dire que la Mustang allait bien.

Le message n'est pas passé. Il l'avait avertie.

Elle a bu un Perrier.

Elle a branché l'ordinateur.

Elle a saisi l'adresse de Martin dans sa boîte mail.

Objet : Quelques nouvelles.

Elle a écrit : La Mustang va bien mais elle est écrasée de soleil.

Ses doigts étaient hésitants. Elle a écrit d'autres choses, les a effacées. Elle n'arrivait pas à trouver ce qu'elle voulait lui dire. Une fourmi est venue parcourir son écran, elle a disparu entre les interstices sombres des touches du clavier.

Elle a entendu frapper à la porte. C'était Suzanne. Jeanne a reconnu sa voix. Elle n'a pas eu envie d'ouvrir.

Suzanne a insisté.

Jeanne n'a pas bougé.

Et puis elle a envoyé les deux lignes de ce mail court et elle a bondi, a ouvert à son amie.

Suzanne était déjà dans la rue. Elle s'est retournée.

— T'étais là ?

— Oui.

— Et pourquoi t'as pas répondu ?

— Je dormais.

Suzanne est revenue sur ses pas.

— Mais tu dors plus maintenant… Je peux entrer alors ? Elles sont rigolotes, tes petites chaussures à rayures…, elle a dit en montrant les espadrilles aux pieds de Jeanne.

Elle s'est arraché un sourire mais sa lèvre tremblait. Une fois à l'intérieur, elle s'est effondrée. Jef l'avait appelée, plusieurs fois, il voulait l'inviter à dîner. Faire la paix, parler gentiment avec elle, il ne voulait pas se fâcher, à cause des bons souvenirs qu'ils avaient.

— Les bons souvenirs, tu parles ! Il veut me calmer pour pouvoir me voler.

Suzanne était sûre qu'il voulait ça, et elle se méfiait. Elle était énervée, incapable de s'asseoir, elle faisait les cent pas dans le salon.

— J'irai jamais chez lui.

Elle a dit ça, Suzanne. Mais peut-être aussi qu'elle pourrait le faire changer d'avis si elle y allait ? Peut-être qu'il reviendrait ?

— Tu en penses quoi, toi ?

Elle a continué de parler de Jef et de sa Portugaise, et puis elle s'est arrêtée parce qu'elle avait vu l'ordinateur, l'écran allumé sur la page des mails.

— Je t'ai dérangée ?

Déjà, les filles revenaient. La ville est un désert, c'est ce qu'elles ont dit, dès la porte franchie. Elles ont aussi dit que le goudron fondait.

Elles ont vidé le jus de fruits.

Elsa avait acheté des escarpins à talons aiguilles et cinq flacons du même vernis, un rouge très vif, pour transformer ses escarpins Éram en flamboyants Louboutin. Elle s'est installée sur la terrasse et elle a commencé à vernir le dessous de la semelle, deux couches. C'était un travail de patience, le pinceau était petit, pour les ongles ça allait, mais pas pour une telle surface, ça lui a pris du temps et tout le contenu de ses flacons, mais à la fin, même si de près on voyait les traces, quand elle a marché, l'effet était bluffant, on aurait vraiment dit des Louboutin.

— Tu es une snob, ma fille, a dit Jeanne en se moquant.

Elles ont ri, toutes les trois, parce que Jeanne était leur mère, et que les mères font les filles.

Le soir, elles ont demandé à leur père s'il pouvait repeindre leur chambre du même rouge vif que les escarpins.

Rémy n'a pas promis.

Un mail.

20 h 08.

Objet : Re : Quelques nouvelles.

Des mots pour elle, avec une photo, des moutons en transhumance dans une ruelle de Saorge, quelques chèvres à grandes cornes.

Il a écrit, On se croirait dans un roman de Giono.

Il a remercié pour la surveillance de la Mustang.

Devait-elle répondre ?

Elle n'avait pas lu Giono.

Elle a jeté un coup d'œil par-dessus son épaule. Rémy était devant la télé.

Elle a tapé, Je ne connais pas Saorge, mais j'aime cette photo.

Elle demande, Voit-on la mer de Saorge ?

À la médiathèque, le lendemain, elle emprunte *Colline*.

Jef avait laissé passer quelques jours et il a à nouveau téléphoné.

Jeanne était chez Suzanne.

Le ciel était bleu et, comme d'habitude, y avait les frères Combe qui faisaient les cons dans la rue.

— Je te laisse…, a dit Jeanne.

Suzanne lui a fait signe de ne pas bouger. Elle a décroché, mais elle n'a pas parlé. Elle a posé le combiné sur la table. Avec le haut-parleur Jef causait, comme un type gentil après une dispute, quand il a un monde à se faire pardonner.

— Suzon ? Suzon, je sais que tu es là… Dis quelque chose s'il te plaît… Allez, Suz' ?

Il répétait. Il disait, Faut savoir arrêter à un moment… Faut savoir être intelligent.

De quoi il parlait ? C'est lui qui était parti ! Suzanne s'est recroquevillée sur le divan.

Jef continuait. Il lui demandait de dire quelque chose. Parlait de la maison qu'il faudrait bien partager. Suzanne était figée. Les yeux perdus, elle frottait ses lèvres avec un doigt. Après un moment, il s'est énervé, Putain, Suzanne, tu fais chier !

Il a raccroché.

Il y a eu un silence épais. Suzanne a soufflé lentement tout l'air de ses poumons. De souffler, elle s'est un peu affaissée.

Elle s'est arrachée du divan. Elle est allée jusqu'à la fenêtre. Elle a appuyé son front.

— Un jour, je vais acheter une batte, j'irai chez lui et il se la prendra dans la gueule.

Lettre n° 9

Chère Marina,

Impossible d'aller à la bibliothèque aujourd'hui, j'aurais bien aimé pourtant, pour visionner tranquillement des choses sur vous.

Je parle très peu de vous. Il y aurait pourtant tant à dire, mais Rémy ne comprend pas. Il n'aime pas que je passe tout ce temps à m'intéresser à vous. Il dit que je suis fascinée. Et que c'est excessif. Fascinée, oui. Excessif, je ne comprends pas.

Je ne me lasse pas de vous. J'aurais tellement aimé emporter le DVD du MoMA chez moi pour le regarder encore, mais la bibliothécaire n'a pas voulu.

Ce que vous faites me console de moi.

Elle hésite.
Elle ne peut pas dire ça.

Le père a donné un coup de pied au chien, il a dit, Con de chien… La M'mé a tendu la main, elle a dit, Brave bête…

Le chien a regardé les deux, la M'mé et le père. De con ou de brave, il ne savait plus ce qu'il était, alors il s'est couché, le museau sur les pattes, et il a geint de douleur.

C'est comme ça qu'on fait les fous, a pensé Jeanne.

Son téléphone a sonné alors qu'elle était encore dans la cuisine parentale. Elle a vu le M sur l'écran.

Il a laissé un message. Long.

Jeanne est sortie de la cuisine. Elle a marché jusqu'au jardin. Le jardin était clos de murs. Du linge séchait sur le fil. C'était du linge lourd. Les habits du père. Ceux du travail. La bassine était dans l'herbe. Le haut du jardin était à la mère, un lieu de terre douce, elle y plantait des fleurs. Derrière, il y avait le potager, c'était le lieu du père, la terre y était humide, brune, presque noire, avec les empreintes de ses bottes dans l'arrosé de la terre.

Jeanne tenait le téléphone dans sa main. Elle n'écoutait pas. Pas encore. Les mots étaient pour elle. Elle n'était pas pressée.

Une allée reliait les deux jardins. Au bout, un banc de bois. L'entour du banc était un repaire de vers.

Zoé avait creusé un tunnel dans les ronces. Elle s'y était enfoncée. Elle était à genoux dans cet endroit d'ombres, entre le fourré d'orties et le banc. Dans son tee-shirt rouge. Elle avait trouvé des limaces et elle s'amusait à les cisailler.

Du pas de la porte, la mère a crié, Zoé est avec toi? Jeanne a répondu oui.

— Elle fait quoi?

— Rien.

— Elle est sage?

Martin était à Saorge, dans une petite église romane, à un concert de clavecin, il voulait lui faire entendre Purcell en vrai. Si tu m'appelles, je te fais écouter!

Jeanne s'est assise sur le mur de pierres sèches. Le vent traversait le fenil, ça sentait le foin. Dans la cour, le purin coulait en méandres, c'est l'eau des sources qui s'infiltrait, en dégorgeait les rougeurs. L'odeur de foin se mêlait à celle acide du purin. Sur la droite, la vache broutait sous le pylône géant.

Il a décroché, presque tout de suite. Il a parlé à voix très basse, Je te fais écouter…

C'étaient les notes d'une musique joyeuse et légère, dont elle n'avait pas l'habitude.

Elle a écouté, en regardant autour d'elle, la vache, les méandres rouges, et Zoé dans son coin, au milieu des orties.

Purcell, dans une telle géographie.

Elle y avait pensé, dans la journée, qu'après Purcell elle recevrait un mail de lui.

À part la publicité, la messagerie était vide.

Le lendemain, il n'y avait rien non plus.

Le soir, elle lui a écrit, J'ai fait écouter Purcell à ma M'mé, et je lis *Colline*. Elle a ajouté, Je veux apprendre une chose par jour.

Elle pensait qu'il serait devant son écran et qu'il lui répondrait. En direct. Une conversation par écran. Elle a attendu.

Sans doute qu'il n'était plus à Saorge mais déjà en Suisse. Elle l'avait retrouvé par hasard. Elle l'avait perdu par hasard aussi, il y a longtemps, à la fontaine de V.

Elle a tapé *Lausanne, Suisse*. Elle a regardé les images. Elle est revenue à la messagerie.

Après seulement, elle a vu le macaron à côté du clavier. Enveloppé dans son papier. C'est vrai qu'on était mardi.

Elle a éteint l'écran. Elle a mordu dans le macaron. Le bombé lisse, craquant. C'était le huitième de la série.

Elle est allée s'asseoir à côté de Rémy.

Il lui a pris la main.

— Alors ?

— Pralin ?

Il a hoché la tête.

Elle a souri.

Elle a suivi la fin du film avec lui. Ils allaient vieillir ensemble, c'était certain. Depuis vingt ans, leurs vies coulaient paisiblement l'une dans l'autre, au point que les deux semblaient n'en faire qu'une.

Après le film, elle a dit qu'elle s'attardait un peu, c'était l'heure du renard. Elle voulait le voir. Rémy est monté se coucher.

Elle a tout préparé pour le lendemain.

Et puis elle a rallumé l'écran.

22 h 37. Objet : De Lausanne… À mon retour, je te parlerai du pays de Giono.

Il lui conseillait de lire *Regain*.

Ça voulait dire qu'il voulait la revoir !

Que pouvait-elle écrire ?

Elle a répondu, Bonne nuit.

Le lendemain, elle est partie en tirant doucement la porte derrière elle.

Elle n'avait pas pu s'empêcher d'allumer l'écran. Il avait répondu. Il lui décrivait le lac. Il se demandait pourquoi certains paysages nous émeuvent autant, qu'est-ce qu'ils vont toucher en nous ? Quelle part sensible ?

À sa pause de midi, elle s'est promenée en ville. Elle a mangé une salade en terrasse. Une salade en terrasse, c'était la première fois. Jamais elle ne dépensait de l'argent comme ça, pour elle toute seule. Elle a trouvé le moment agréable. Il y avait un oiseau dans une cage, sur un balcon fleuri. Elle aurait aimé que tout le monde soit heureux. Même les oiseaux des cages. Elle aurait voulu le libérer. On dit que les captifs ainsi brusquement relâchés ne survivent pas. De la même manière, les oisillons que l'on touche dans le nid et sur lesquels on dépose une infinie odeur humaine meurent en quelques jours.

En rentrant, elle a jeté un coup d'œil à la Mustang. Comme elle avait la clé dans son sac, elle a ouvert la portière et elle s'est assise cinq minutes à l'intérieur.

Maintenant, c'était régulier, quand elle allumait l'écran, elle trouvait ses messages. De nouvelles photos.

Elle répondait.

Ils s'écrivaient, plusieurs fois par jour. Dans son dernier mail, il est au bord du lac Léman. Il a joint une photo. Un lac de lumière. Le matin, il est couvert de brume, je suis sûr que ça te plairait. Il dit qu'il y a un musée d'art brut à Lausanne. L'art, il se souvient qu'elle aimait ça avant. Il lui donne un lien internet.

Il dit qu'il s'attarde un peu chez des amis à Genève, qu'il fera un rapide crochet ensuite par Annecy. Il envisageait de vendre sa maison, c'était un héritage de ses parents, ça lui arrachait le cœur mais elle était trop grande pour lui.

Il est 23 h 32 quand il a écrit cela. Une heure palindrome. Elle lui parle de sa fascination pour ces nombres renversés. De toutes ces choses qui se vivent dans un sens et dans l'autre, peuvent se concevoir à la fois par leur fin et leur début.

Il répond que la fin des choses est toujours contenue dans leur début.

Elle écrit, Tu es un homme de lac.

Il répond, Je crois que tu es une femme de lac aussi.

Soudain, c'est très intime. Elle en ressent l'émotion. Elle reste un long moment à fixer l'écran. Elle cherche des mots pour répondre. Rien ne convient alors elle écrit, Je vais dormir, à demain.

Lire, répondre, tout cela lui prenait du temps. Elle ne savait pas si elle devait parler à Rémy des mails qu'elle recevait. Il semblait que ces mails n'étaient qu'à elle. D'un autre côté, si elle ne lui disait pas et qu'il les trouvait ? Leur ordinateur était commun, la chose était possible.

Les mails, elle les lisait.

Et elle les effaçait.

Elle aurait voulu les garder. Les glisser dans un dossier.

Dans le dernier, il disait qu'il devait être à la chapelle en fin de semaine, pour une réunion de chantier.

Elle a acheté un jean brodé, un modèle vu en vitrine. Jeanne n'aimait pas se regarder dans le miroir des cabines. Elle n'aimait pas être sous le regard des vendeuses. Le jean, elle l'a à peine essayé, il lui avait plu, elle a pensé qu'elle serait belle dedans.

Il ne lui allait pas, c'était un taille basse, il lui faisait les jambes courtes. Elle s'en est rendu compte une fois chez elle. Elle ne l'avait pas payé très cher, mais suffisamment pour râler. La vendeuse aurait pu lui dire. Elle a pensé le rapporter. Non, le rapporter était impossible, la vendeuse demanderait pourquoi, elle devrait se justifier, parler du corps, du manque d'aisance, des jambes trop courtes.

Chloé et Elsa ont des corps de ville.

Celui de Jeanne était entre les deux. Ni ville ni campagne.

Quelle inconséquente elle était! Elle se comportait comme une gamine. Que dirait Rémy s'il trouvait ce jean? Qu'elle aurait mieux fait de mettre l'argent de la fringue dans la caisse pour le voyage en Grèce.

Ce jean était une incongruité, elle l'a roulé en boule et l'a bourré au bas de l'armoire.

Après, elle a fait des choses rassurantes, comme ramasser le linge et le plier dans la corbeille. Rémy arriverait un peu tard, il devait passer au garage suite au contrôle technique. La voiture avait pas mal de kilomètres, il fallait changer des pièces.

Elle a coupé les fleurs sèches des géraniums et des rosiers. Elle a mis de l'engrais à l'hortensia. Le 18 h 01 est passé. Lui, et son suivant.

Le soir, Martin lui a envoyé un mail alors qu'elle était derrière l'écran. Ils ont échangé, en direct. Elle a pensé qu'il était dans sa chambre, elle a imaginé leurs deux lampes allumées dans la nuit, à des centaines de kilomètres l'un de l'autre.

Deux lumières.

Il a répondu qu'il n'était pas dans une chambre mais dans un café. Il lui a envoyé une photo de sa maison, au bord du lac, à cause des montagnes, il disait qu'il ne voyait pas les levers de soleil et cela lui manquait parfois. Qu'il lui enverrait d'autres photos, d'autres vues.

Elle a écrit qu'elle était allée au bord de ce lac avec Rémy et les filles, il y avait longtemps.

Le chat est arrivé en silence, il a sauté sur le bureau, à côté du clavier. Elle l'a chassé, et s'il faisait tout sauter en marchant sur les touches ?

Rémy a éteint la télé.

Il s'est levé. Il s'est approché de Jeanne. A posé une main sur son épaule.

— Tu devrais arrêter avec cette fille…

Parce qu'il a cru qu'elle était encore avec Abramović.

Lettre nº 10

Chère Marina,

Je fais court car vous n'avez certainement pas le temps de lire tous vos courriers. Grâce à internet, j'apprends beaucoup de choses sur vous. Je ne lis pas l'anglais, et je ne vous cache pas que les traductions par le dictionnaire Reverso sont très approximatives.

J'aurais mille questions à vous poser.

Où en êtes-vous ? J'ai lu que vous ne vouliez plus travailler, que votre corps ne supportait plus et que vous envisagiez d'ouvrir une école d'art ou un musée, je n'ai pas bien compris. Avez-vous des problèmes de santé ? Ou autre ?

J'ai hâte d'avoir de vos nouvelles.

Je vous réécris mon adresse si des fois vous l'aviez perdue et que vous vouliez me répondre.

PS : Comme vous, j'adore regarder la voûte étoilée.

Jef insistait pour que Suzanne vienne chez lui, alors elle a fini par accepter. Elle irait, mais pas seule.

Jeanne ne voulait pas être mêlée à ça. Ça ne la regardait pas, ce n'était pas son histoire. Suzanne a tellement insisté que, pour avoir la paix, Jeanne a dû l'accompagner.

Jef avait fait cuire deux grillades sur le petit balcon. Quand il a vu Jeanne, il a marqué un temps de recul. Ce n'était pas prévu qu'elle soit là.

— Y a un problème? a demandé Suzanne.

Il a fait non avec la tête.

Il a retourné les grillades.

Chez lui, c'était vraiment comme il l'avait dit, petit et sans confort. Un matelas qui faisait lit. Et des cartons pour les fringues. Les habits de sa Portugaise.

La table, les chaises, les draps, tout venait de chez Emmaüs. Il a expliqué ça. Même pas de salle de bains. Les WC étaient sur le palier. Pour se laver, ils utilisaient une bassine ou bien le lavabo.

Qu'est-ce que Suzanne y pouvait? Qu'est-ce qu'elle en avait à faire? Elle avait la sienne, de misère.

Ils ont causé. Au début, Suzanne a fait la gentille, elle avait toujours l'espoir qu'il reviendrait. Lui, il essayait de ne pas s'énerver, il voulait l'amadouer. C'était pour ça, les grillades.

Il a mis trois assiettes.

Suzanne a dit :

— Ça ne peut pas se finir comme ça, nous, pour une banale histoire…

Il l'a regardée, bien dans les yeux.

— Ce n'est pas une banale histoire, Suz'.

Dit sur un ton, qu'elles ont bien compris toutes les deux, que c'était sérieux avec sa Portugaise.

Après, ils ont encore causé.

Pour la maison, Jef voulait qu'ils trouvent un arrangement, à l'amiable, c'est ce qu'il lui a lâché. À l'amiable !! Suzanne, elle s'est redressée comme s'il l'avait piquée. Qu'il ose dire ça ! Putain, Jef ! Elle avait des soucis, tout était compliqué pour elle aussi. Encore plus que pour lui si ça se trouvait ?

Il a précisé sa vue des choses :

— Il faudrait commencer à partager ce qu'il y a dedans, et après on partagera les murs.

Suzanne, partager, elle ne voulait pas, ni les murs ni rien.

— Je ne quitte pas la maison.

— Tu rachètes ma part alors, et on n'en parle plus.

Lui racheter sa part ???

Le ton est monté. Jeanne était affreusement gênée, mais elle était dans la même pièce, bien obligée d'entendre.

Suzanne était vraiment fauchée, il n'était même pas question qu'ils en discutent. Elle a ramassé ses affaires. Elle ne voulait plus entendre parler de lui. Ni de lui, ni de ses histoires.

Elles l'ont planté là, avec ses grillades. Une bonne odeur pourtant, elles avaient!

Le soir, Jeanne a commandé deux livres sur internet, qui parlaient du travail d'Abramović.

Martin lui avait envoyé un mail avec photo. Elle lui a répondu.

Elle va faire une connerie, c'est ce que le voisin a dit. Il était venu avertir Jeanne. Parce que Suzanne était dans l'impasse avec un couteau. Jeanne s'est précipitée. Les frères Combe emmerdaient l'androgyne du 5. Ils l'avaient coincé au bout du terrain vague, vers le transformateur EDF, et ils l'empêchaient de rentrer chez lui. Suzanne avait réagi. Elle leur a couru après. Quand ils ont vu la lame, les Combe ont reculé. Une fois à bonne distance, ils lui ont crié qu'elle était dingue. Même le Tête Plate gueulait, mais lui c'était de trouille.

Maintenant, Suzanne était au milieu du passage, immobile.

— Il s'est passé quoi? a demandé Jeanne.

— Rien…

— Tu sais que t'as un couteau là?

Suzanne a regardé sa main. Elle a haussé les épaules. Le couteau, c'était juste ça, parce qu'elle épluchait des légumes, elle n'avait pas eu de mauvaises intentions.

Jeanne a retiré le couteau.

Sans le couteau, la main tremblait, du Parkinson on aurait dit.

— On peut aller à la piscine, si tu veux?

Elle a fait non avec la tête.

Jeanne a insisté mais Suzanne ne voulait plus s'éloigner de chez elle à cause de ce qu'avait dit Jef sur le partage des choses et de la maison. Des objets lui revenaient de droit, il les prendrait de force si elle ne partageait pas. Et puis quelqu'un était venu tourner dans sa cour, à 2 heures du matin, elle avait entendu marcher, elle était sûre que c'était lui.

Jeanne pensait qu'elle exagérait. Elle lui disait de changer la serrure, mais ça aurait servi à quoi? Il pourrait casser un carreau, toutes les fenêtres étaient sans volets.

Les filles sont passées le vendredi, mais juste pour une nuit, elles repartaient le lendemain pour un week-end à Dinard. Un vol Lyon-Rennes. Des amis les attendraient.

Un réveil matinal. Rémy voulait peindre un pan de mur, ensuite il partirait à la pêche. C'est Jeanne qui les a emmenées à l'aéroport.

Elle pensait garer l'auto et les accompagner, attendre avec elles et regarder partir les avions. Mais les filles ont dit que ce n'était pas la peine, elles ont montré le dépose-minute. Jeanne leur a glissé un billet dans la poche. Elle les a suivies des yeux. Leurs corps avaient changé, sans doute l'été et aussi ces deux amoureux de Bretagne qui les attendaient pour les emmener voir la mer.

Jeanne et Rémy étaient allés à Saint-Malo, il y avait longtemps. Une location sur le sillon, dans un immeuble bleu pas loin des thermes. C'est là qu'elles avaient été conçues. Jeanne avait oublié de leur dire. Si elles passaient devant l'immeuble. Ce serait trop dommage qu'elles passent sans savoir. Elle est sortie de l'auto. L'aéroport était grand. Elle les a cherchées, les filles n'étaient nulle part. Sans doute déjà côté embarquement.

Ça ne servait plus à rien de courir. Jeanne a regardé autour d'elle, les voyageurs, les sacs, les valises. Maintenant qu'elle était là, elle pouvait traîner un peu.

Elle a récupéré un magazine de mode abandonné sur un siège.

Une hôtesse appelait pour les embarquements, *Tous les passagers en partance…* La destination changeait, c'était Nice, Barcelone, Venise, Istanbul, Amsterdam. *Tous les passagers en partance pour Amsterdam sont priés de se présenter en salle d'embarquement, porte 3.*

Abramović avait habité Amsterdam, au 21, rue de Binnenkant, Jeanne avait retenu l'adresse.

Elle a regardé les gens qui attendaient dans la file, l'embarquement était immédiat, elle aurait pu leur dire, si vous êtes là-bas, allez voir la rue Binnenkant.

On a appelé les passagers à destination de Rennes. Toujours la même voix désensibilisée.

Jeanne a pris un café. Elle a feuilleté le magazine de mode.

Avec son téléphone, elle a enregistré la voix de l'hôtesse qui insistait pour l'embarquement de Rennes.

Elle a enregistré d'autres annonces à la suite.

Le texto est arrivé alors qu'elle était encore à l'aéroport : Je suis à Montplaisant, ne t'inquiète pas si la Mustang n'est plus là.

Comme elle avait très largement dépassé les dix minutes qu'autorisait la dépose, il lui a fallu payer un fort supplément.

Les deux livres commandés sont arrivés pendant qu'elle était à l'aéroport. Le facteur les avait déposés sur le paillasson. Au diable le ménage et la maison !

Le premier était un court livre écrit par Démosthènes Davvetas, un ami de Marina. Dans le second, il n'y avait que des visages, ceux de tous les gens qui étaient venus la voir au MoMa.

Jeanne s'est assise à la table.

Elle était plongée dans sa lecture quand son fixe a sonné. C'était sa sœur Isa, elle voulait des nouvelles de tout le monde. Elle viendrait peut-être cet été. Isa parlait beaucoup, et pour ne rien dire.

En même temps qu'elle bavardait, Jeanne a nettoyé son téléphone : elle a effacé des messages, viré des photos.

L'enregistrement de l'aéroport, la voix de l'hôtesse en off, *Tous les passagers en partance pour…*

— Qu'est-ce que c'est, ce bruit ? a demandé Isa. Tu es à l'aéroport ?

Jeanne a hésité. Elle a rapproché les deux téléphones… *Tunis, Rome, sont priés de…* Elle pourrait dire oui, ce serait amusant. Dans ce cas, elle serait là, dans sa cuisine, et elle serait aussi ailleurs, à l'aéroport.

À deux endroits différents.

Mais s'il y avait un drame, un imprévu qui nécessite une enquête, la police pourrait demander à Jeanne où elle se trouvait ? Elle répondrait la vérité. Mais votre sœur dit que vous étiez à l'aéroport. Qu'est-ce qui se passerait alors ? On l'accuserait de mentir. Ça causerait des graves problèmes. Les problèmes, Suzanne appelle ça une couille dans le potage, elle dit que, même quand tout roule, il peut y en avoir.

Alors Jeanne a dit à Isa qu'elle était à la maison.

L'après-midi, elle a classé les dernières photos : Rémy en train de lessiver le plafond de la cuisine,

Elsa avec ses faux Louboutin. La date derrière, dans un angle et au stylo.

Les fenêtres étaient ouvertes. On préparait le bal des pompiers, pour le soir, sur le parking de la gare, Jeanne entendait la musique. Rémy avait des copains pompiers, il était allé leur donner un coup de main.

Elle a rouvert un album ancien, s'est arrêtée sur des photos de ses parents, de la M'mé.

Une photo d'elle, l'été de ses quinze ans. Elle l'a retirée des encoches. Le cheveu court, un peu garçonne, air mutin, plutôt mignonne. Sur cette photo, elle était amoureuse de Martin. Elle avait ce visage quand elle l'avait attendu à la fontaine. À l'époque, elle se pensait laide et elle ne s'aimait pas, mais elle aurait très bien pu rivaliser avec la fille du lycée.

Suzanne le dit, Tu n'as pas confiance en toi, c'est le problème.

Les filles ont téléphoné, elles étaient bien arrivées. Déjà à Dinard. Jeanne n'a pas très bien compris, elles parlaient vite, euphoriques! Elles faisaient une promenade en bord de mer, le temps était un peu couvert, elles décrivaient, devant elles, la vue du chemin de ronde, Une sculpture incroyable! Dans un jardin privé, la villa Greystones de François Pinault, tu connais? Un arbre en bronze, maman, monumental, avec une pierre dans les branches!! Saint-Malo, juste en face.

Trois tonnes de bronze et trois tonnes de pierre, il paraît. Et pourtant, ça semble léger.

Elles n'avaient jamais rien vu d'aussi étonnant.

Chloé a dit, Je t'envoie la photo.

L'instant d'après, la photo arrivait. Elle était prise de trop loin, on ne voyait pas grand-chose mais on devinait l'arbre monumental et la pierre pesante enchâssée à son tronc.

La fête battait son plein.

Ils avaient mis de la musique, accroché des lampions.

Tout le monde était là, les pompiers, les voisins, les gens du quartier, les frères Combe qui toisaient l'androgyne, le Tête Plate en bout de ligne.

Sur des tables à tréteaux, on vendait des gâteaux, des bonbons, du rosé pamplemousse au verre.

Jeanne avait noué un foulard autour de sa tête, pour tenir ses cheveux, du tissu en fausse soie, les tons rouges et verts, un premier nœud, et un deuxième par-dessus. Elle avait fait ça devant le miroir du salon.

Rémy était au barbecue. Il a fait signe aux frères Combe, il y avait des saucisses. Les frères ont montré leurs poches vides. Rémy a insisté, il payait pour eux. Le Tête Plate y est allé, on aurait dit que ça lui faisait du bien, pas de manger, mais de partager.

Les deux autres ont fini par s'approcher, méfiants comme des chiens. Ils ont pris ce que Rémy leur a donné et ils sont retournés manger contre le mur.

Suzanne était là aussi, venue faire un tour.

Avec Jeanne, elles se sont assises par terre et elles ont regardé les gens.

Martin, elle l'a vu arriver de loin, les mains dans les poches, il avançait en contournant les danseurs.

Un homme tranquille, elle a pensé.

Un homme inattendu.

Rémy l'a vu aussi, il a laissé son gril, il est allé lui taper sur l'épaule, en bon copain, et il l'a entraîné vers la fumée du barbecue, s'est empressé, a remis des brochettes sur le feu.

Martin s'est retourné, il a fait un signe à Jeanne, de loin.

Suzanne a ronchonné.

— D'où qu'y se croit celui-là ?

— Je le connais…

— Lui ?

— Oui.

— Pourquoi tu l'as pas dit ?

— Je te le dis.

— Et tu le connais comment ?

Jeanne le regardait. Il portait un pantalon en toile beige et un sweat-shirt noir au logo L214. Elle a pensé aux arbres solides de la ferme.

Suzanne lui a touché le pied.

— Je te parle…

— Quoi ?

— Tu le connais comment ?

Elle lui a bourré le coude dans les reins.

Jeanne a souri.

— Une vieille histoire.

— J'aime bien les vieilles histoires… Tu racontes ?

Jeanne lui a fait un résumé, un amour d'adolescente, des retrouvailles en ville.

Elle n'a pas dit qu'elle l'avait suivi, mais que c'était du hasard, ils étaient dans le même magasin, elle achetait des espadrilles.

— Les espadrilles, c'est les trucs à rayures que t'avais l'autre fois ?

— Oui…

Suzanne a souri bêtement. Jeanne lui a dit d'arrêter. Martin discutait toujours avec Rémy.

— Et eux, ils se connaissent comment ?

— Même lycée.

Ils s'étaient tellement écrit pendant qu'il était à Saorge, Jeanne se demandait comment ils allaient se parler.

La sono jouait du Barbelivien.

Il a tendu sa main.

Elle a hésité.

— Il faut faire vite, ça ne dure pas si longtemps, une danse.

Elle s'est levée. Ils se sont mêlés aux autres couples.

Elle a posé une main sur son torse. Elle a senti son cœur battre sous sa paume. La chaleur de sa peau à travers le tissu du sweat. Elle s'est laissée aller. Contre lui. C'était simple.

— Tu vas bien ?

— Oui…

Ils n'ont rien dit d'autre.

Ils ont juste dansé.

La musique s'est arrêtée. Barbelivien a laissé la place à un rap endiablé. Ils ont dû s'écarter.

— Ça ne dure pas très longtemps, effectivement.

Une extrémité du foulard s'était détachée et pendait sur le côté du visage de Jeanne.

— Tu permets ?

Martin a pris le bout du foulard, il l'a enroulé autour de la tête, l'a glissé entre le crâne et le tissu.

Il prenait son temps.

Il lui parlait en même temps.

— Il te va bien, ce foulard… Si tu étais ma femme, je t'interdirais de le porter.

Il était à dix centimètres. Le front de Jeanne touchait presque son torse.

— Et si je veux le porter quand même ?

— Je t'enfermerais à double tour dans mon château.

— Tu n'as pas de château.

— J'en construirais un pour t'enfermer.

Jeanne a ri, troublée.

— À quoi j'ai échappé alors…

Ils se sont retournés, Rémy était là, près d'eux, il était allé chercher le DVD d'un film qui se passait dans la région, il le prêtait à Martin, parce que sur deux ou trois plans, on voyait le village de Saint-Marcel où il était né, et aussi la maison de son enfance et l'école également. Pendant qu'ils parlaient, Jeanne est allée récupérer la clé de sa Mustang, pour la lui rendre.

— Il fait quoi, le môme ?

— Il lit ton polar.

— Tu es sûre ?

— Oui. Il lit quand ses frères ne le voient pas. Il en est à la moitié.

— Comment tu sais ?

— Qu'il en est à la moitié ? Il le planque sous le thuya, je suis allée voir.

Suzanne était dehors, vautrée dans son fauteuil, la nuque au dossier, elle regardait le ciel entre les branches.

— C'était bien, la fête, hier.

— Mmm…

— Tu étais toute jolie, avec ton petit bandana.

Suzanne a insisté.

— Ce type, là, ton copain d'avant… tu serais pas un peu accrochée ?

— De quoi tu parles ?

— Tu as flirté.

— J'ai dansé.

— Tu as dansé mais tu as flirté aussi, j'ai bien vu.

— Il t'a fait danser, toi aussi.

— Par politesse… Quand on a commencé à tuer le chat, faut aller jusqu'au bout.

— Je ne vois pas le rapport.

— Il est pourtant évident.

Jeanne a regardé son amie.

— Qu'est-ce qu'il t'a dit pendant la danse ?

— Des choses…

— S'il te plaît.

Suzanne s'est levée du fauteuil, les deux mains au fond des poches.

— Il a commencé par dire que cette soirée était belle, comme quoi elle contenait la fragilité et la beauté de toutes les soirées de notre vie. Comme quoi aussi une soirée c'est comme une vie. Après, il a enchaîné, une heure de vie égale une vie entière, et un homme tout seul, ça fait l'humanité.

— Il t'a vraiment dit ça ?

— Texto, et à deux virgules près. Et c'était ma seule danse de la soirée. Mais je n'avais pas de bandana à raccrocher, moi.

Elles se sont regardées et elles ont éclaté de rire.

La table était dressée.

Le père avait pris sa place au bout, il attendait. Il y avait Emma, son mari et leurs trois filles, Jeanne et Rémy, le père, la mère et la M'mé.

Sur la table, dix assiettes.

Et une de plus, à la droite du père.

Toutes les années c'était comme ça, ce jour-là, on mettait une assiette pour le frère.

Une assiette qui faisait date, et que Jeanne laverait avec les autres. Le frère, un enfant de sexe masculin, et qui aurait dû être l'aîné. Un mort-né. Le début et la fin, pris ensemble, et qui avait ourlé la douleur infinie du père.

La vie s'était continuée avec les enfants suivants, Jeanne, Emma, Sylvie et Isa.

Jeanne observait les visages. Personne ne regardait l'assiette. Ni la serviette blanche et la chaise poussée. Cette place vide allait pourtant fouiller profond, dans un chagrin ancien, dans le silence. Elle forçait la pensée du frère disparu et pourtant terriblement plus vivant que les quatre sœurs nées après.

Jeanne regardait le père. Il était fatigué. Il était seul. Jeanne aurait beau faire, il avait raté ce rendez-vous, le seul valable, avoir ce fils qui aurait poursuivi la lignée, mais qui avait failli à sa naissance, à la reprise du nom, de la ferme, des prés, des machines.

Jeanne regardait à la dérobée le ventre gros d'Emma. Allait-elle avoir un fils ? Jeanne avait plusieurs fois surpris le regard du père sur le ventre.

Le ventre devait réveiller son espoir muet.

Peut-être aussi qu'il ferait du regret.

On ne lui avait jamais parlé de lui, on ne lui avait jamais dit, et pourtant Jeanne savait. Elle avait eu des pressentiments, toute petite elle avait tissé la vérité, par touches, avec des bribes, des regards.

Elle avait été une tisseuse infiniment douée.

Un jour, pour vérifier, elle avait ouvert le carnet des enfants nés.

De sa place, Jeanne observait ses parents, le père surtout, elle cherchait la pensée du frère sur son visage. Elle y était, forcément.

Avec la mère, les deux ensemble, ils avaient voulu la faire naître. Elle, Jeanne. Ils avaient mis trois ans. La mère le lui avait souvent répété, qu'elle avait été désirée, Jeanne en avait été fière, elle en avait tiré une prétention. Mais c'est un garçon qu'ils avaient voulu. Attendu. Pas elle.

Zoé aussi regardait la place vide. Que savait-elle ?

Jeanne a longtemps cru qu'elle avait été la première. Mais elle a été la grossesse d'après, l'enfant de remplacement. Le père avait planté quatre pisseuses à la suite du regretté. Des naissances dont tout le monde avait ri, croyait-il, dans le village, dont les voisins se seraient gaussés, un homme incapable de faire naître un mâle. Jeanne avait grandi dans l'ombre admirable du sans-vie. Dans cette cour animale, une fille un peu garçon. Les mort-nés n'ont pas de croix, pas de tombe, pas de nom. Ils sortent du ventre et on les emporte. Les mères s'effondrent de peine. C'est leur ventre qui est la tombe. L'oubli fait le reste.

Et les suivants grandissent.

Un jour comme celui-là, on était obligé d'y penser.

— Au début, il me semble que tu mettais de la nourriture dans l'assiette ?

Jeanne avait prononcé ces mots. Autour de la table, plus personne n'a bougé. La main du père s'est crispée.

— Au début, oui, a fini par répondre la mère.

Au moment de la vaisselle, alors qu'elles étaient seules dans la cuisine, Jeanne s'est tournée vers Emma.

— Il ne t'a jamais manqué, à toi ?

Emma buvait son café.

— Qui ?… Le frère ? Non, pas plus que ça.

Elle a fini sa tasse. L'a reposée.

— Je trouve même qu'on était bien toutes les quatre, rien que des frangines.

Jeanne sortait de la poste quand elle a reçu le texto :
Si tu veux, on peut dîner ensemble, un soir.

Dîner ensemble ?

Rémy avait un match le samedi, un déplacement en car, avec son équipe, jusqu'à Oyonnax, il dormirait sur place.

Elle lui a proposé samedi, 19 heures.

Dans son carnet, elle a écrit,

Citation de M. A. *On ne doit pas se contenter de peu. Le peu, c'est pour après, quand on est mort. Quand on est vivant, il faut tout faire très fort.*

Le soleil s'est couché en dégradés orange et bleu. Des oiseaux ont traversé ce dégradé. Jeanne les a suivis des yeux.

Elle a regardé les trains. Son beau-frère dit que les gens qui regardent les trains sont des mélancoliques.

La mélancolie de quoi ?

Elle a tout fait comme à l'habitude.

Elle a attendu le renard, tard le soir, un peu après 23 heures, c'était son heure, sa fourrure rouge, elle aurait aimé le voir.

On a prévenu Rémy au dernier moment, il avait plu à Oyonnax, et il pleuvait encore, le terrain était inondé, impossible de jouer, il fallait reporter le match.

Rémy a proposé un restaurant pour remplacer, il connaissait une guinguette en bord d'étang. Déjà, il s'enthousiasmait. Il a vite téléphoné pour réserver, une table en bordure de terrasse, avec vue sur la cascade, on profiterait de la douceur du soir.

Et si on invitait les amis, Laure et Damien ? On fêtera le début de nos vacances !

Jeanne a souri.

Curieusement, elle s'est sentie soulagée, sauvée d'un mauvais pas peut-être, comme si elle s'était engagée trop vite, que la chose était trop grande, trop forte pour elle. Comme si la chose – cette histoire avec Martin – devait être rêvée.

Bien sûr, Martin mettait de la couleur dans son quotidien, il éclairait sa routine. Il faisait battre son cœur. Peut-être trop.

Elle lui a envoyé un texto rapide, Je ne viendrai pas.

Elle aurait pu écrire, Je ne pourrai pas venir, expliquer la pluie sur le terrain, le match annulé. Dire, Une autre fois.

Elle a éteint son téléphone, l'a rangé dans son sac. Elle ne voulait pas prendre le risque qu'il l'appelle, insiste. Entendre sa voix, alors que Rémy était là, devoir mentir devant lui.

Finalement, ce contrordre était sans doute une aubaine.

L'heure suivante, elle s'est occupée de la maison, un peu de rangement, aspirateur et serpillière. Radio Nostalgie, le son poussé à fond.

Le chat était sur la table, il la regardait à distance.

Rémy a attaqué les gros travaux de la cuisine. Il a retiré le vieux plan de travail.

Après, ils ont fait un saut chez Monsieur Meuble pour en choisir un neuf, une plaque moderne, en béton foncé. Et comme il lui restait un peu de temps, Jeanne est allée chez Suzanne.

Le frère de Suzanne se mariait, il habitait Toulon, il voulait absolument qu'elle vienne. Des semaines qu'il insistait. C'était le week-end suivant, il fallait qu'elle se décide.

Elle hésitait.

Quand Jeanne est arrivée chez elle, il venait juste de l'appeler, il pouvait lui envoyer les billets si c'était un problème d'argent. Ça avait mis Suzanne en rogne qu'il puisse penser ça.

— Il dit qu'il peut comprendre que je sois fauchée. Je suis fauchée, mais pas à ce point.

Et puis quoi lui offrir? Quel cadeau? On ne va pas à un mariage les mains vides.

— Ça vaut combien un billet pour Toulon?

Jeanne n'en savait rien. Elles ont regardé sur l'iPhone.

Tout de suite après, le téléphone de Suzanne a sonné. Dès qu'elle a reconnu la voix de Jef, elle a raccroché.

Il a rappelé.

Elle a laissé sonner.

Elle s'est assise à la table. Elle ne voulait plus lui parler.

Elle est restée immobile jusqu'à ce que la sonnerie s'arrête. Des mèches de cheveux lui barraient le visage. Elle portait un polo vert qui lui faisait un teint blafard. Elle devait manquer de sommeil.

Les frères Combe remontaient le trottoir. À force de squatter, ils faisaient partie de l'impasse.

— Tu sais ce que font les femmes du Monténégro quand leur mec les plaque ?

— … leur crèvent les yeux…

Jeanne a ri.

— Non… Elles se glissent un petit poisson dans le ventre et elles le gardent toute une nuit.

— Vivant, le poisson ?

— Vivant, oui. Le matin, elles le retirent et elles le font sécher au soleil. Quand il est bien sec, elles l'écrasent, ça fait de la poudre. Elles mélangent la poudre avec un peu de café et elles font boire ça à leur mec. Il paraît que neuf fois sur dix, ils sont à nouveau amoureux.

Suzanne a relevé la tête.

— Tu déconnes ?

— Non.

— Et comment qu'elles font pour le retirer ?

— Je ne sais pas… Elles l'attachent peut-être à un fil.

Suzanne a hoché la tête. Elle a pris le temps de visualiser.

— Et comment tu sais tout ça, toi ?

— Dans un livre.

Suzanne a encore hoché la tête.

— Et Rémy, à la pêche, il en sort des petits poissons ?

Le soir, ils sont donc allés fêter le début de leurs vacances au restaurant avec les amis, Laure et Damien. Cuisses de grenouilles, c'était la spécialité. Servies à volonté.

La serveuse a posé au milieu de la table une grande poêle noircie par les flammes. Elle leur a montré l'étang, juste à côté. Ils pourraient aller s'y promener après le repas, il y avait un pont, une cascade, rien que de la nature pure. Ils verraient les grenouilles nager.

Jeanne a regardé son assiette. Les grenouilles étaient grillées, recouvertes de persil et de beurre.

On dit les cuisses, mais il y a le corps.

Tout le corps.

Il y en avait des vivantes, chez elle, à la source.

Il fallait manger chaud, la serveuse en rapporterait au fur et à mesure.

Rémy et les amis ont attaqué le monceau, avec les doigts, comme aux tables alentour, en repoussant les os sur le bord de l'assiette. C'étaient de petits os blancs avec des rotules douces. Rémy n'avait pas la discrétion. Il suçait les os, et aussi le beurre sur ses doigts. Il n'était pas le seul à faire ça.

Jeanne n'aimait pas ce bruit de bouche.

Rémy a parlé des travaux de la cuisine qu'il avait commencés. Comment il allait changer l'ancien plan de travail, profiter des vacances pour tout faire au mieux.

Jeanne pensait à Martin. S'il n'avait pas tant plu à Oyonnax, elle aurait passé la soirée avec lui. Qu'est-ce qu'ils auraient fait ensemble tout un soir ? Où seraient-ils allés ? Elle avait été un peu brutale, peut-être était-il fâché ? Elle pensait qu'elle devrait le rappeler, le lendemain. Discrètement, elle a allumé son téléphone pour voir s'il n'avait pas laissé un message. Il y avait deux alertes : l'une pour un message vocal, l'autre pour un texto. Elle n'a pas regardé davantage. Rémy lui a demandé si elle avait un problème, elle a dit, Non, c'est les filles.

Elle a glissé le téléphone dans sa poche.

Elle ne voulait pas manger avec les doigts. Elle a essayé au couteau.

La serveuse est venue resservir. Qui en voulait encore ? C'était écrit, À volonté ! On pouvait prendre et reprendre. Rémy a voulu faire une photo des os dans son assiette, disposés tout autour.

Après, il a fallu vider les os dans le plat. Les os de toutes les assiettes.

Un terrible ossuaire, ça faisait.

Les serviettes étaient sales. Il y avait des rince-doigts.

Laure a dit, Après on ira les voir plonger !

Jeanne s'est excusée, elle est allée aux toilettes. Une fois à l'intérieur, elle a regardé ses messages. L'appel vocal était de Suzanne, elle disait qu'elle s'était décidée, elle irait à Toulon. Elle avait acheté un briquet, griffé Dupont, dans une belle boutique en ville. Sur la boîte, elle avait écrit, Joyeux mariage ! Elle a dit, Tu sais, un frère…

Non, Jeanne ne savait pas. Avec des fins de mois comme les siennes, ce briquet était une connerie. Et puis c'était un cadeau rien que pour lui.

Le texto était de Martin : Te bile pas, ce sera pour une autre fois. (Éclipse de lune ce soir, pense à lever les yeux.)

Elle a souri à l'écran.

Elle est ressortie pour voir la lune.

Dans l'arrière-cour, il y avait des poubelles, des dizaines de boîtes en carton, les grenouilles, *made in China*.

Elle a levé les yeux.

Et la lune, magnifique, qui éclairait tout ça.

Elle a commencé une courte lettre.

Lettre n° 11

Chère Marina,
Vous êtes du Monténégro, je l'ai lu dans l'un des deux livres que j'ai achetés et qui parle bien de vous, dans les détails.
Vous dites que votre mère était folle. Et que votre père aussi était fou. Et que vous n'avez jamais eu de chance en amour.

Elle a regardé sur internet un document, daté de 1976, en version originale sous-titrée :

Abramović. À la Biennale de Venise.
En sous-sol du musée. Pas de fenêtre. Je lave tous les os, chacun avec une brosse en fer et du savon. Il fait très chaud. Aucun autre artiste n'a voulu être dans cette salle avec moi. Tant mieux, je n'aurais supporté personne. Je gratte, je lave, je rince. Il y a des lambeaux de chair collés. Une minute par os, c'est ce que j'ai prévu. C'est des os de bœuf. Des gros. J'en ai pris mille cinq cents. J'espère que j'en aurai assez. Ils sont arrivés par

la lagune, en barque à moteur. Les os propres, je les mets dans des bacs en cuivre. Je ne quitte pas le tas de la journée. Le soir, je suis tellement crevée que le gardien doit m'aider à descendre. J'ai mal partout, aux reins et aux bras. La nuit, je dors mal.

J'ai prévu de tenir quatre jours. Six heures par jour. J'aurais aimé plus mais cela semble impossible.

Deuxième matin. Brisée. Quand le réveil a sonné, je n'ai pas eu envie de me lever. Et puis je me suis ressaisie, si on renonce, hein, on fait quoi? Ma blouse est pleine de sang. Mes lèvres sont collées. J'ai affreusement soif. J'ai sommeil aussi. Et cette odeur! J'avais tout prévu, sauf ça. J'ai peu de visiteurs. Les os font peur. On dit que je fais n'importe quoi. Laver des os, tout le monde peut le faire. Tout le monde peut, mais il n'y a que moi qui le fais.

Troisième jour. Je n'arrive plus à marcher, le gardien doit m'accompagner jusqu'à l'embarcadère. Il paraît que ce que je fais commence à intriguer. Des journalistes viennent. Quand on me demande ce que je fais, je réponds que je rends la paix aux morts, que je m'occupe d'eux, les oubliés.

Je ne sors pas le soir. On m'invite pourtant. Seules les bêtes sortent la nuit.

Dernier jour. L'air est irrespirable. On me conseille d'arrêter. Arrêter? C'était mal me connaître. Si je renonce, qui le fera, hein, qui réparera? Je dois finir ce qui a été commencé.

J'ai tenu les quatre jours. J'aurais pu tenir encore. Peut-être pas un jour entier, mais quelques heures. Quelques heures, oui, j'aurais pu.

Quand on m'a dit que j'avais le Lion d'Or, j'ai pensé à tous ceux qui avaient dit que je ne réussirais plus jamais rien.

Elle a poussé la porte, Alors, tu me le montres ce briquet? Et puis elle s'est tue. À cause de la musique. Dans la maison. Ce n'était pas l'habitude.

Suzanne était prostrée. Un état lamentable. Une chaise était renversée.

— C'est quoi ce bordel?

Jeanne a arrêté la musique.

Elle a ramassé la chaise.

— Tu peux me dire ce qui s'est passé?

Jef s'était introduit chez elle pendant qu'elle était en ville. Il avait profité de son absence. Pas par effraction, il avait la clé. Elle avait oublié de la lui reprendre. Quelle gourde elle était!

— Il m'a tout piqué…

Elle n'arrivait plus à bouger.

Il avait fouillé partout. Il avait emporté la télé qui était pourtant toute neuve, la couverture en laine sur laquelle il n'avait aucun droit et la machine à expressos. Il manquait aussi les deux bagues qu'il lui avait offertes et un collier en mauvais plaqué.

Il avait fait main basse sur le livret A. Le livret! Comment avait-il pu oser? Il savait pourtant à quel point elle manquait d'argent! Quelle idée aussi de lui avoir laissé la clé! Elle était la dernière des connes. Elle s'est traînée jusqu'au tiroir. Sans livret, elle était fichue. Il n'avait pas pu lui faire ça. Elle a cherché le livret, pensant qu'il était peut-être dans un autre tiroir.

— Il avait déjà pris la bagnole.

Elle pouvait supporter qu'il la quitte mais pas qu'il la vole. Et il l'avait volée. Il avait fait ça. Cette chose-là encore, après toutes les autres.

C'était un cauchemar.

Les fenêtres étaient ouvertes, les voisins aux portes. Ils avaient dû le voir, un type qui emporte une télé, et pas un qui l'avait empêché.

Elle leur a gueulé dessus. L'indifférence, ça fait boomerang, ça revient toujours !

Jeanne a refermé la fenêtre.

— Faut pas, Suzanne, tu fais spectacle…

Suzanne est retournée à sa chaise. Les mains entre les cuisses. Assommée.

Jeanne ne s'est pas attardée, Rémy avait commencé à peindre les murs, elle lui avait promis de l'aider.

Elle venait juste de prendre le pinceau quand elle a vu Suzanne passer. Elle criait.

Il fallait qu'elle y aille. Qu'elle aille chez lui. Qu'elle lui parle, qu'elle le tue !

Jeanne est vite sortie, elle l'a rattrapée, elle lui a dit des choses, pour la calmer, dans la rue, mais tout cela était très dur, alors elle est allée chercher sa voiture et elle l'a emmenée chez Jef.

Une fois devant la porte, Suzanne a cogné. Elle a appelé. Personne n'a ouvert. Elle a attendu. Elle a cogné encore.

— Suzanne, tu vois bien, il n'y a personne, viens on s'en va…

Elle n'a pas voulu s'en aller.

Elle a voulu attendre.

Elle lui a téléphoné. Plusieurs fois. Il n'a pas répondu. Elle lui a laissé des messages, elle a dit qu'elle était chez lui, elle allait porter plainte. Elle n'arrêtait pas de lui rabâcher ça, qu'elle s'en foutait s'il en baisait une autre, ça n'avait pas d'importance, tant mieux pour lui, même, il pouvait, elle acceptait, elle acceptait tout! Mais à condition qu'il lui rende ce qu'il lui avait pris.

Elle parlait fort, ça résonnait dans la cage. Les voisins ont fini par sortir. Ils en avaient marre du boucan, c'était un immeuble tranquille, avec des honnêtes gens, ils allaient appeler les flics, c'est ce qui allait se passer.

Jeanne l'a tirée par la manche.

Elle a fini par céder.

Une fois dans la voiture, Suzanne a voulu passer dans tous les endroits où il avait ses habitudes.

Même au bowling, elles sont allées.

Suzanne a voulu y retourner. Dès qu'elles sont sorties du bowling. Et il était chez lui. Il devait y avoir sa Portugaise parce qu'il n'a pas voulu qu'elle entre.

Ils ont causé sur le palier.

Suzanne a répertorié tout ce qu'il avait emporté. Elle était très énervée, elle mélangeait tout. Comme quoi c'était un sournois, qu'il l'avait eue par surprise, à la confiance, qu'il l'avait trompée, volée.

Elle lui a réclamé la machine à expressos, son collier et ses deux bagues, surtout celle avec les petites pierres, à laquelle elle tenait tant.

Les bagues? Quelles bagues? Il a juré qu'il ne les avait pas prises.

— Et la télé, tu ne l'as pas prise?

Il lui a promis de lui rendre le collier mais il fallait qu'il le retrouve, il y avait un tel bazar chez lui! Quant à la télé, elle lui appartenait autant qu'à elle.

Pour le livret A, il a juré qu'il lui en avait fait virer la moitié sur son compte courant, elle pouvait vérifier.

C'était désolant. Elle n'en pouvait plus. Elle allait déposer plainte, appeler les juges, les flics. Elle avait des témoins. Elle a montré Jeanne, qui attendait au palier inférieur.

Les flics, Jef n'en voulait pas.

— Il faut te faire soigner, c'est ce qu'il est parvenu à articuler.

Il commençait à être mal à l'aise parce que les voisins sortaient sur le pas des portes.

Pour avoir la paix, il a accepté de lui rendre la télé. Il est rentré la chercher. Par l'entrebâillement de la porte, Jeanne a aperçu une ombre.

Suzanne a fait un clin d'œil à Jeanne, Ben voilà, il suffisait de monter un peu le son...

C'était un grand écran. Elles l'ont descendu comme elles ont pu, elles ont pris un fou rire à mi-étage parce que le couloir était étroit et qu'elles étaient un peu coincées.

Le texto est arrivé alors qu'elles chargeaient l'écran dans le coffre, Si tu veux qu'on se voie.

Il devait repartir quelques jours à Annecy. Mais ils pouvaient se voir aussi à son retour.

Le soir, elle a relu le message. Se voir, comment faire? C'étaient les vacances, Rémy était toujours là, elle ne pouvait pas s'absenter, même pour un café il faudrait donner des explications.

Elle s'est retenue de lui répondre.

Jeanne profitait des vacances pour dormir un peu plus tard le matin. Rémy avait installé le nouveau plan de travail, son frère était venu l'aider.

Il faisait beau, les fenêtres étaient ouvertes.

Quand elle s'est levée, Rémy avait commencé à peindre le plafond. Le carrelage était protégé par des feuilles de papier journal. Jeanne a étendu un vieux drap sur le plan en béton. Elle a bu un café puis elle a passé une première couche rapide sur les murs. Au rouleau, c'était facile, la peinture tenait bien.

Les filles ont appelé, elles étaient en Espagne, à Barcelone. Elles ont raconté leurs vacances, leurs soirées. Un tourbillon de voix. De vie.

Jeanne passait de l'une à l'autre, elle s'émerveillait de tout ce qu'elles disaient.

— Et vous, rien de spécial ?

— Rien, mes chéries…

— La routine ?

— La routine oui. Les travaux de la cuisine…

Rémy était sur l'escabeau. Il a voulu leur parler. Jeanne lui a tendu le téléphone.

Les avant-bras de Rémy étaient couverts de peinture. En leur parlant, il s'est frotté le front.

Jeanne pensait à Martin. Il devait être à Annecy. Ou peut-être revenu. Elle se demandait si elle devait l'appeler ou pas. Rémy était occupé avec la cuisine, elle pourrait s'échapper un peu, trouver un prétexte, des courses à faire, une amie à voir. Mais mentir était compliqué. Elle tournait tout ça dans sa tête.

Rémy était descendu de l'escabeau. Il avait refermé le pot de peinture, mis les pinceaux à tremper. Il avait ouvert un sachet de pistaches et il buvait une bière, appuyé à l'évier.

Depuis un moment, il observait Jeanne.

— À quoi tu penses ?

— À rien.

— Tu es soucieuse.

Il faisait plus de trente degrés. Et tellement chaud aussi dans la maison. D'un revers de manche, elle a essuyé la sueur à son front.

— C'est cette chaleur…

Elle a ouvert le frigo. Le repas était facile, juste deux salades à préparer.

Elle a regroupé le courrier qui traînait sur la table, elle l'a posé dans la corbeille.

Rémy continuait à la regarder. Il buvait sa bière, mangeait des pistaches.

Il avait de la peinture dans les cheveux.

Elle sentait son regard.

— Tu m'aimes encore ?

Elle ne s'attendait pas à ça. À une telle question.

— Bien sûr…

Il a cassé une pistache avec ses dents. Elle a entendu craquer la coque.

Et ensuite, le fruit, sous ses dents.

— Et lui, qu'est-ce que tu lui trouves ?

Rémy a râlé parce qu'il avait encore trouvé des crottes de rat dans le garage. Des semaines que ça durait. Il mettait du poison mais il n'en voyait pas le bout. Il a parlé d'acheter un piège.

Jeanne avait fini de passer la première couche sur les murs.

Pour la couleur, ils avaient finalement opté pour une teinte intermédiaire, une nuance moderne, entre le vert et le taupe.

Rémy a voulu installer l'évier neuf avant d'attaquer la couleur. Il est allé le chercher dans le garage.

Jeanne s'est plongée dans son livre, il a jeté un coup d'œil en passant. Une photo de Marina avec Ulay, un arc tendu entre eux. Ulay tient l'arc et la flèche. Marina, la corde. La flèche est pointée sur elle. Une vraie flèche. S'il lâche, elle meurt. Mais il meurt aussi, car il ne peut pas vivre sans elle. La mort de l'un entraîne la mort de l'autre, c'est ça l'idée, la fragilité du couple, l'interdépendance.

— Elle a quoi de spécial, cette fille?
— Tout.
— Tout, c'est quoi?

Comment expliquer? Elle ne se contente pas de vivre. Elle part de sa vie, un quotidien simple, son amour avec Ulay, sa terreur des serpents, la honte, la solitude, et elle transforme ça. Elle nous dit qu'il faut dépasser nos peurs. Si elle le fait, on peut le faire. Elle ne recule devant rien, va jusqu'à mettre son existence et ses amours en jeu. En racontant sa vie, elle raconte la vie des autres et atteint ainsi quelque chose qui a la forme d'une vérité commune.

Rémy a pris le livre. Il avait les mains sales, elle n'a pas aimé la façon désinvolte dont il a tourné les pages.

Jeanne lui a repris le livre des mains. Elle a frotté la couverture pour enlever la poussière.

— Il y a une force en elle qui libère ceux qui la regardent.

C'est tout ce qu'elle est parvenue à dire.

Mais c'était ça.

Ça exactement.

Une force libératrice.

Il a sifflé.

— C'est tout ?

— Oui.

— Et elle te libère, toi ?

— Un peu.

Jeanne a remis le livre à sa place.

— Je voudrais être comme elle. Des fois, j'essaye, je fais des trucs et puis j'arrête. C'est ça la différence entre elle et moi. Elle, elle ne s'arrête pas, même si ça lui fait mal, même si ça lui fait peur, même si tout le monde s'en fout ! Elle va au bout.

Elle s'était un peu emballée. Elle s'est excusée. Il y a eu un moment de silence.

Rémy la regardait bizarrement.

— Peut-être, mais tu es bien mieux qu'elle.

— Moi ?

Jeanne a ri fort. Nerveusement.

— Je suis tellement… Tellement…

— Tu es tellement quoi?

Entravée. Empêchée. Prévisible. Elle l'a pensé, qu'elle subissait sa vie plus qu'elle ne la décidait.

Elle ne l'a pas dit.

Rémy s'est avancé jusqu'à la cuisine.

Et puis il s'est ravisé.

— Tu es plus forte, bien plus forte qu'elle. Elle, elle n'a créé que du vent.

Jeanne a fait non avec la tête. Un nombre infini de fois.

— Le vent, c'est moi…

— Non, tu n'es pas du vent. Tu n'as pas compris qui tu es.

Jeanne a ri. Elle a rougi en même temps.

— Qu'est-ce que je suis? Qu'est-ce que je fais de ma vie?

— Tu as des choses qu'elle n'a pas.

— Moi? Des choses comme quoi? Je n'ai rien!

Rémy s'est détourné lentement.

— Moi et les filles, ce n'est pas rien.

Jef avait promis à Suzanne de lui rapporter la machine à expressos, mais il n'a pas tenu sa promesse, alors Suzanne lui a téléphoné. Elle avait voulu que Jeanne soit là, pour le jour où il faudrait témoigner.

Elle a mis le haut-parleur, il fallait que Jeanne entende.

Il a commencé par dire que les dosettes étaient chères, et qu'elle manquait déjà d'argent, et une machine sans dosettes… et puis il a fini par lui avouer qu'il avait changé d'avis, elle pouvait récupérer la machine mais il fallait qu'elle la rachète.

Quand elle a entendu ça, Suzanne a cru tomber du ciel.

— Tu me fais quoi, là, Jef?

Il était très calme. Il voulait sa part. Sa part? Quelle part? Il n'y avait pas de part.

— Si on veut être juste, c'est du 50/50, et surtout.

Ainsi, ils en étaient là.

— Tu iras en enfer, a dit Suzanne.

— Ça n'existe pas, l'enfer.

Elle a eu un drôle de rire. Elle était fatiguée.

— On va le faire exister pour toi.

— Ni enfer, ni paradis, je te dis…

Elle s'est approchée de la fenêtre, elle a regardé dehors. Elle pleurait. Pas beaucoup. Mais elle pleurait. Ça devenait insupportable. Jeanne les avait connus amoureux. Très amoureux.

Et c'était la suite.

La chute.

La détestable chute.

Suzanne a écrasé ses larmes. Elle était toujours au téléphone.

— Bon, alors on fait quoi, pour l'expresso ?

Martin lui a envoyé un mail, il demandait si tout allait bien. Il avait beaucoup de boulot à Montplaisant, il y avait du retard dans le chantier, il a joint une photo de la chapelle, une fresque finie dont il était très content, Si tu veux passer la voir ?

En réponse, elle lui a envoyé une photo du jardin, avec les fleurs magnifiques.

Elle a écrit, Rémy est en congé, c'est un peu compliqué.

Lettre n° 12

Très chère Marina,

Quand vous avez joué la scène de l'arc, tout de même, prendre de tels risques ! Si encore la flèche avait visé le cœur d'Ulay ! Mais non, elle était pointée sur le vôtre. C'était très dangereux ! Et s'il avait lâché la corde ? Ou si elle lui avait simplement ripé des doigts ? Vous avez mis votre vie entre ses mains. À Naples, vous l'avez mise entre les mains de gens que vous ne connaissiez pas.

Vous voyez que je vous aime, j'ai peur pour vous.

Interview de M. A., recopiée dans le carnet :
Êtes-vous toujours aussi timide ?
Je crois…
Y a-t-il quelque chose que vous auriez voulu comprendre et que vous n'avez toujours pas compris ?
Dans la vie ?
Dans la vie, oui…
Pourquoi ça passe si vite ? Cela, je voudrais bien le comprendre mais personne n'a encore jamais pu me l'expliquer.
Vous ne voulez pas vieillir ?

Je n'ai pas dit ça.

Vous croyez qu'il y a un bon côté au temps qui passe?

On devient plus raisonnable.

Et les mauvais côtés?

Ce sera bientôt fini.

Votre mère a joué un rôle très important dans votre vie, n'est-ce pas?... Vous vous dérobez toujours quand on vous parle de votre enfance.

Je ne me dérobe pas.

On dit que vous avez du talent...

Le talent, c'est survivre. Si on y parvient, c'est suffisant.

Qu'aimeriez-vous changer de vous?

Mon nez.

À part votre nez?

Mes émotions. J'en ai trop, elles me submergent, c'est mon problème, je n'arrive pas à les maîtriser. J'aimerais les contrôler mais je suis slave et les Slaves ne savent pas faire cela.

Que savent faire les Slaves?

Ils savent rire et ils savent aussi pleurer.

Vous pleurez?

Je vous l'ai dit, je suis slave.

Le téléphone a sonné. C'était la mère. La mère n'appelait jamais, mais la M'mé voulait mourir, elle avait décidé que c'était l'heure. Rien de très sûr à priori, mais il fallait venir.

Ils étaient dans la cuisine, avec Rémy, à passer la deuxième couche sur les murs. Ils avaient sorti la gazinière sur la terrasse, on devait leur livrer le piano. Rémy attendrait le livreur et il la rejoindrait après.

Les filles étaient encore à Barcelone.

Quand Jeanne est arrivée à la ferme, le portail était grand ouvert, il y avait déjà des voitures dans la cour.

La M'mé ne voulait pas que la mort fasse son coup en douce alors elle avait pris les devants, réuni la famille. Ils étaient tous à l'intérieur.

Elle était dans son fauteuil, un peu à l'écart, elle disait un mot à chacun.

Elle a dit des mots à Zoé et à Emma. Des mots aux aînées d'Emma, aux oncles…

Entre deux, elle égrenait les perles de son chapelet.

Quand elle a vu Jeanne, elle lui a fait signe. Elle a mis ses yeux vitreux dans les siens, N'oublie jamais, ma petite fille, que tu fais partie d'une famille où les femmes sont fortes.

Elle a fermé les yeux un long moment. Jeanne a cru qu'elle s'était assoupie. Elle s'est levée, pour s'éloigner. La M'mé l'a retenue par la manche. Les doigts, comme des crochets.

— Le temps nous traverse comme une flèche, promets-moi de t'en souvenir.

Jeanne a promis. Elle a dû s'approcher de la bouche noire pour entendre la suite.

— Et ne sois pas triste. On s'habitue à ne plus voir les gens. Ce qu'on ne supporte pas, c'est de ne plus pouvoir penser à eux.

La M'mé a grogné. Sa langue rose s'agitait.

La main a lâché le bras.

Jeanne est retournée avec les autres.

La M'mé n'avait pas peur de la mort, mais de la façon dont ça allait se passer. Elle a marché jusqu'à la chambre. Elle s'y est enfermée.

Elle allait convoquer la mort. Sa mère avait fait ça, avant elle. Et la mère de sa mère, encore avant. L'une était partie dans le bois un jour d'hiver, on l'avait retrouvée comme une souche, repliée et couverte de givre. L'autre avait chantonné sur le rebord du lavoir. Quand plus personne ne l'avait regardée, elle s'était laissée glisser.

Une fois la M'mé dans la chambre, tout le monde a pris place autour de la table, melon frais, jambon, poulet froid. Personne n'avait faim. Les plats servis, la faim est venue.

Rémy est arrivé. Le piano avait été livré, il était en place.

Les filles d'Emma écoutaient de la musique en se partageant deux écouteurs. Leur père a gueulé qu'il fallait qu'elles arrêtent ça. Elles ont arrêté la musique mais elles ont gardé les écouteurs.

Jeanne avait vue sur le couloir. La M'mé mourait derrière la porte. Tous les quarts d'heure, quelqu'un sortait de table, remontait le couloir, entrait dans la chambre et revenait un moment après en faisant non avec la tête.

En bout de table, le père, muet, refilait en douce les os du poulet au chien. Les os, c'est du canif dans les intestins, Jeanne le lui avait souvent dit, il en faisait toujours à son idée et tant pis si ça crevait la bête.

L'oncle a regardé Jeanne. C'était son tour. Elle a traversé le salon, elle a poussé la porte.

Les volets étaient tirés. Il y avait des bougies, une loupiote sur le chevet. C'était une chambre inhabituelle, à part le docteur, personne n'y entrait jamais.

La M'mé était étendue. Ses yeux étaient fermés, les mains jointes sur le ventre, les doigts noués au chapelet.

Jeanne a regardé le ventre. Elle respirait.

— Tu as besoin de quelque chose?

La M'mé n'a pas ouvert les yeux. Elle a répondu non avec la tête. D'un doigt, elle a montré les bougies. L'une d'elles s'était éteinte.

— Je voudrais être forte comme toi, grand-mère, a dit Jeanne en rallumant la bougie.

— Tu es forte.

La voix était lente et rauque.

— Non, je suis gourde.

La vieille a hoché la tête.

— Tu es gourde, oui, mais tu es forte.

La M'mé a grincé des dents.

— Depuis ta naissance, tu vis comme si tu avais quelque chose à te faire pardonner, ça a fait de toi un être coupable.

Jeanne a soufflé l'allumette.

La M'mé a fait passer deux perles du chapelet.

— Quand tu mourras, je veux que tu sois enterrée avec moi, compris ?

— Compris, la M'mé.

— Et tu protégeras le chien, hein ? Ils sont capables de le tuer après… Tu promets ?

— Je promets.

Le grincement des dents a broyé ce qu'elle a dit ensuite.

Jeanne a rejoint la tablée et, comme les autres avant elle, elle a fait non lentement avec la tête.

La télé était branchée, sans le son. Les aiguilles de l'horloge tournaient. Le repas était fini depuis longtemps, les conversations sont devenues lourdes.

Zoé s'était installée dans le fauteuil de la M'mé, elle balançait ses jambes.

Les oncles ont sorti les cartes.

Ceux qui ne faisaient rien commençaient à trouver le temps long.

La nappe était en papier. Jeanne a appelé Zoé, Et si on faisait des fleurs avec le papier de la nappe ? Des fleurs qui serviraient à la tombe.

Elles ont trouvé des ciseaux. Elles ont utilisé la nappe. Après, Zoé a couru chez elle, elle est revenue avec du crépon bleu, pour des fleurs en couleur.

Le soir était tombé. Le père a mis les bottes et il est sorti donner à manger aux bêtes. La mère a suivi pour traire la vache. Les bêtes n'attendent pas, elles n'accordent pas de dimanche, pas de vacances, pas de répit, pas de veillée.

Les cousins de Grenoble sont partis. Rémy aussi. Zoé en a eu marre des fleurs, elle s'est allongée sur le banc.

Jeanne a joué aux dames avec une tante.

Il faisait nuit. Il n'y avait plus de cousins. Les oncles somnolaient.

Sur la nappe, il restait les fleurs, celles en crépon de couleur, et celles, blanches, de la nappe.

Sur l'écran, des images d'Armstrong, que personne ne regardait.

Avant de partir, pour aider la mère et comme elle le faisait depuis toujours, Jeanne a glissé deux billets sous le compotier.

En dépit de ses intentions, la M'mé n'est pas morte, ni ce jour-là ni les suivants. Et elle n'a plus jamais reparlé de ça.

Zoé a disposé les fleurs en crépon dans l'écurie, autour de la crèche où mangeait la vache.

Le piano était flambant neuf! Rémy avait monté, à côté, les deux placards modernes. Il restait les finitions. Les finitions, c'est le plus long. Jeanne l'aidait, mais la cuisine était petite, ce n'était pas toujours simple d'être à deux.

Depuis quelques jours, et sans doute à cause des travaux, elle avait à nouveau mal à l'épaule. Une brûlure vive. Elle a pris rendez-vous. Le médecin lui a expliqué qu'il y a des bonnes et des mauvaises hormones, qu'on manque parfois de certaines. Il lui avait déjà fait un bilan, chez elle tout était bon.

Il a retiré ses lunettes, Vous êtes stressée? Il y a quelque chose qui vous contrarie? Parfois, les douleurs musculaires viennent d'une crispation, vous devriez noter dans un carnet ce qui vous tourmente, cela aide parfois.

Il s'est calé dans le fond de son fauteuil, Et dans votre vie sentimentale, tout va bien?

Dans son carnet, elle a commencé une liste. Deux colonnes.

Ce qui me calme	*Ce qui me tourmente*
Les abeilles	Les choses abandonnées
Le chat	Le temps qui passe
Nager	Tout ce que j'oublie
Regarder passer les trains	Les prises de décision
La pluie	Mentir
La M'mé	Tout ce qui sépare
Le chat	Les disputes
La beauté des jours	L'effacement

Elle avait mis deux fois le chat.
Elle a laissé deux pages pour compléter la liste.

Suzanne avait grise mine, la peau froissée, des cernes sous les yeux. Jef lui rendait la vie impossible. Elle avait été obligée d'acheter une voiture, une petite Panda d'occasion.

— Il raconte partout que je viens chez lui pour le harceler, il dit que je suis jalouse. Mais ce n'est pas vrai, je ne suis pas jalouse.

C'était lui qui venait chez elle. Presque tous les jours. Il lui réclamait de l'argent. Il voulait encore la voler. Il tournait dans le jardin pour voir s'il y avait quelque chose à prendre. Des choses qu'il pourrait revendre.

— De l'argent, maintenant que j'ai acheté la Panda, j'en ai plus…

Suzanne racontait qu'il l'avait trompée et puis volée, et qu'il voulait la voler encore. Ça n'en finissait pas. Il disait que lui aussi était fauché.

— Il me réclame du fric, une sorte de loyer du fait que je vis dans la maison. Qu'est-ce qu'il peut me faire encore?

La veille, elle était allée frapper chez lui pour essayer de discuter.

Suzanne radotait toujours les mêmes choses. Elle ne voulait pas déprimer et pourtant elle déprimait. Ça durait trop. Il en avait marre. Elle aussi.

Jeanne ne voulait plus l'écouter, mais Suzanne était son amie, la meilleure, la seule.

Dans l'immonde, on peut toujours faire plus, c'est le frère de Rémy qui dit ça. Lui, ou Abramović? Abramović avait beaucoup parlé du couple dans son travail, cette obsession de fusion par besoin d'idéal.

Abramović aussi avait un frère. Leur mère en était fière, il était brillant, elle était persuadée qu'il allait réussir. Elle n'a jamais envisagé qu'un jour, c'est Marina qui serait célèbre.

Jeanne pensait que tout ce qu'avait fait Marina, ce qu'elle avait fait de plus violent, prenait ses racines dans l'indifférence de sa mère.

— Sa marche en Chine, c'était sa douleur, exactement semblable à celle que tu ressens.

Suzanne a levé la tête.

— De quoi tu parles?

— Abramović. Tu sais, la fille de la photo. Quand Ulay l'a quittée, elle a cru mourir de chagrin, il lui a fallu absolument travailler, alors elle a cherché une idée, pour supporter. C'est pour ça qu'elle a fait sa marche.

Jeanne a pris un stylo. Il lui fallait un bout de papier, elle n'en a pas trouvé, elle a décollé la photo de Jef contre le frigo et elle a dessiné derrière, un long dragon qui représentait la muraille.

Elle a dessiné Marina à un bout, et Ulay à l'autre. Elle a tracé des petits tirets qui représentaient le chemin. De l'un à l'autre.

— Il faut parfois très longtemps pour qu'un homme et une femme se rencontrent.

Les tirets, elle a pris du temps pour les dessiner.

— Et l'amour dure peu de temps, à l'échelle d'une vie, quand on y réfléchit. C'est pour montrer cette courte durée que, là où ils se sont retrouvés, ils se sont vite séparés.

Suzanne s'était calmée. Elle écoutait. La marche, les amours toujours malheureuses de M. A. Comment elle avait aimé, follement, une première fois dans sa ville de naissance, à Belgrade, la deuxième fois c'était Ulay, et enfin à New York, Paolo, un Italien, il était beau, bien plus jeune qu'elle, ils se sont mariés mais ça n'a pas duré.

— Abramović est très sentimentale. Elle dit qu'elle n'a jamais été heureuse en amour, mais c'est parce que le travail est le plus important pour elle.

— Plus important que l'amour ?

— Plus important, oui. Elle dit que le travail dure toujours, pas l'amour, et qu'elle voudrait mourir d'aimer, comme la Callas, que c'est la seule mort valable.

Suzanne a retourné la photo, elle a regardé Jef. Ses yeux étaient pleins de larmes. Elle aurait voulu rire. Elle s'est excusée, a trouvé stupide ses yeux débordants pour ce salaud. C'était comme s'il y avait un lac en elle.

Et que l'histoire d'Abramović aidait à vider son eau.

— Tu fais quoi ?

— Je réfléchis.

— Toute seule ?

— … Suis pas toute seule.

Zoé a montré la vache. Elle lui avait fait un collier de fleurs, des marguerites très blanches qu'elle avait cueillies dans les rigoles rouges du purin, et nouées les unes aux autres avec une ficelle épaisse.

Elle brossait, méthodiquement, le dos de la bête et l'arrière des pattes. C'était une brosse à cheveux, qui avait appartenu à la M'mé, et qui servait maintenant à la vache.

Jeanne s'est assise sur le rebord de la mangeoire.

Un rayon de soleil entrait, faisait briller la paille.

— Tu as vu, on dirait de l'or.

Zoé a regardé l'or de la paille. Elle a continué à brosser.

— J'ai peur du noir de ma chambre.

Les mots, dans le bruit de la brosse.

Zoé a dit qu'elle ne pouvait pas dormir sans lumière. La journée, elle laissait les tiroirs grands ouverts, elle pensait faire des réserves de jour.

La nuit, elle ouvrait les tiroirs.

— Dans ce noir, il n'y a que tes affaires, il suffit que tu éclaires, a dit Jeanne.

À chaque passage de la brosse, Zoé vérifiait la douceur lisse du poil.

— Maman dit que tu es triste.

— Elle dit ça ?

Zoé a fait oui avec la tête.

— Tu en penses quoi, toi ?

— Je ne sais pas… Moi, j'aime bien être triste.

Elle a retiré les poils pris dans les piques.

— Elle dit que l'enfant de son ventre sera son plus beau cadeau.

Et d'un coup, suite à ces mots, dans la seconde et comme pour les sortir d'une gêne violemment insupportable, elle a ouvert grands ses bras, et elle a raconté qu'elle avait vu un lièvre immense dans le champ derrière la maison, alors qu'elle était au grand pylône, elle avait entendu le bruit des pattes, dans les herbes sèches, elle s'était retournée et elle l'avait vu, un lièvre comme ça, qui bondissait, on aurait dit la liberté !

C'est ce qu'elle a dit, de ses mains déployées, On aurait dit la liberté !

Le père était entré dans l'écurie alors qu'elle dessinait la grandeur de l'animal et ses bonds tellement longs qu'il semblait voler, et le terrier tout au bout, dans le bosquet.

Il a demandé, Où, le lièvre ?

Il y a eu un silence.

Lentement, elle a montré l'endroit.

Sans plus de mots, le père a craché dans la paille, il a retiré la chaîne du cou de la vache, et il a sorti la bête dans le pré.

Sur le rebord de la mangeoire, il restait les fleurs en crépon faites pour la fausse mort de la M'mé.

Suzanne avait décidé de planquer dans la rue de Jef. Elle voulait des photos de lui avec sa Portugaise.

La Panda était garée avec vue sur la porte. C'est Jeanne qui prendrait les photos, elle avait l'appareil sur les cuisses. Deux filles dans une auto. Les passants les regardaient. Elles les regardaient aussi.

La première heure, c'était nouveau, alors elles papotaient en se fichant un peu des gens. Après, ça s'est compliqué à cause de la monotonie et du soleil qui cognait sur le pare-brise, et aussi parce qu'elles avaient oublié de prendre de l'eau.

Jeanne a commencé à fatiguer. Elle a mis la radio en sourdine. Elle avait envie de pisser. Il n'y avait pas d'endroit. Elle n'arrêtait pas de se masser la nuque pour se garder éveillée.

Rémy a téléphoné, Vous foutez quoi ? Ça faisait deux heures.

Jeanne en avait marre, ça devenait n'importe quoi, mais Suzanne voulait continuer, cinq minutes encore, Il suffit qu'on parte pour qu'il arrive.

Après, c'est Suzanne qui a flanché. Elle s'est mise à douter.

— Il ne viendra pas.

Elle a cogné plusieurs fois sur le volant.

Elle a voulu partir.

Jeanne a dit qu'il fallait rester, qu'elles n'aient pas fait tout ça pour rien.

Elle lui a parlé du collier de marguerites qu'avait fait Zoé. Un collier pour une vache, avec des fleurs de purin. Elle racontait comme ça venait. Ses paupières tombaient. Suzanne a voulu sortir. Jeanne l'a empêchée, Tu la veux, ta photo, ou pas?

Il n'y avait plus grand monde sur le trottoir. Le soir tombait. Suzanne a passé la tête par la fenêtre, elle a respiré l'air du dehors.

Jeanne a appuyé son front au pare-brise. Elle scrutait la pénombre.

Elle pensait à Rémy, à Jef. Au bonheur. Le bonheur, ça ne se commande pas, c'est un état au-dedans, pas une question de vouloir ni de mérite, c'est le frangin de Rémy qui dit ça.

Elle a pensé à Martin. Elle ne l'avait pas revu depuis le bal des pompiers. La veille, il lui avait envoyé un texto alors qu'elle était à la ferme. Il disait qu'il était en ville, à la terrasse du Haddock, elle pouvait venir pendant sa pause. Elle avait répondu qu'elle était toujours en vacances et qu'il était difficile pour elle de s'échapper. Il avait insisté, Même cinq minutes? Et tout de suite après, il s'était excusé, Je comprends, suivi d'une émoticône désolée.

— Le bonheur, ça devrait être une équation parfaite, une sorte de formule chimique. Ou mathématique : confort + enfants + argent.

Suzanne a sorti une lime à ongles de son sac.

— Ça devrait.

Avec la pointe, elle a gratté sous ses ongles, en a limé les bords.

— Ce serait même normal qu'en ajoutant des bonnes choses, ça fasse du bonheur. Mais ce n'est pas comme ça que ça marche.

Elle a poussé un soupir.

— Et les bons ne sont pas plus heureux que les salauds.

Elle a reposé la lime.

Sa tête a dodeliné sur le côté.

— Et toi, hein ?

— Quoi, moi ?

— Tu es heureuse ?

— Je pense que je le suis, a répondu Jeanne.

— Tu penses ou t'es sûre ?

— J'essaye de l'être. J'ai une très belle cuisine, tu sais, avec poubelle intégrée…

Jeanne a ri. Suzanne aussi. Elles n'arrivaient plus à garder les yeux ouverts, elles dormaient un peu à l'intérieur.

Suzanne a frotté ses yeux.

— Moi, j'ai été très heureuse, mais c'était un enfoiré, Jef. Un putain d'enfoiré… Il embrassait bien.

— Embrasser, ça ne suffit pas.

— Il baisait bien aussi.

— Ça ne suffit pas non plus.

— Quand même…

Elle a souri doucement.

— Y en a d'autres qui baisent bien, a dit Jeanne.

Suzanne a jeté un coup d'œil dans le rétroviseur pour vérifier s'il n'arrivait pas sur le trottoir, derrière.

— Et Rémy, il baise comment ?

— Arrête.

— Quoi ?

Elle s'est moquée, comme quoi Jeanne faisait sa chochotte.

Elle a fait sauter ses chaussures, elle avait mal aux pieds.

Elle s'est massé la plante avec les pouces.

— Tu sais ce que c'est, mon meilleur souvenir avec lui ? Le jour où il m'a fait entrer dans un porno. Tu rigoles mais je n'avais jamais vu de film comme ça avant. J'étais sacrément gênée. Dans la salle, il n'y avait que des types. Pendant le film, il a glissé sa main sous ma jupe et il a commencé à me tripoter. Quand les lumières sont revenues, tous les hommes me regardaient.

Elle s'est étirée en bâillant fort.

— Tu dirais qu'il faut quoi, toi, pour bien réussir une vie ?

— De l'amour.

— Pas du fric ?

— Du fric aussi, oui.

— Du fric, et du sexe.

Elles ont ri encore. Après, elles sont convenues que, pour réussir une vie, il fallait du rire aussi.

Elles ont attendu encore un peu. Il n'y avait pas de lampadaires, elles n'y voyaient plus grand-chose.

Ça faisait presque trois heures.

Suzanne avait beau se secouer, ses yeux se fermaient, elle les rouvrait, mais à peine ouverts, ils se refermaient.

Jeanne sentait bien qu'elle n'y croyait plus trop à la photo.

Ça ne s'est pas fini comme elles auraient voulu. Jef n'est pas rentré. Elles avaient planqué pour rien, on aurait dit deux zombies.

Les travaux de la cuisine avaient bien avancé. Rémy voulait repeindre le couloir, sur sa lancée, profiter du fait qu'il avait tout le matériel sorti, les pinceaux, l'escabeau.

Il avait déjà rebouché le trou creusé par le clou. Du plâtre séchage rapide. Il restait la trace. Plus celle du cadre. Il faudrait enlever les photos.

Jeanne n'avait pas envie de toucher à ce mur.

Les filles étaient revenues de Barcelone. Elles devaient passer quelques jours à la maison. Ils avaient prévu d'aller tous les quatre au restaurant des Séquoias, une adresse réputée, mais Chloé et Elsa avaient rencontré de nouveaux amoureux. Elles ont dit cela, deux étudiants, de retour de Barcelone. Une attirance irrésistible. Comme des plaques tectoniques. Chloé a décrit les plaques pour que Jeanne comprenne bien. Jeanne a visualisé, ça paraissait imparable, C'est le coup de foudre alors ?

Leur visite était reportée.

Pas question d'aller au restaurant sans elles.

Jeanne a préparé des pâtes au thon, et il restait des flans. Ensuite, elle a réglé deux trois choses.

Rémy est allé poser des tapettes dans le garage, il râlait parce que les rats étaient malins, ils mangeaient le gruyère sans se faire attraper. Ils rongeaient aussi les étiquettes de ses bouteilles de vin. Il a apporté une bouteille à Jeanne, pour lui montrer. Il paraît que c'est l'odeur de la colle qui les attire.

Jeanne a taillé les roses.

Le lendemain, ils sont allés au lac. Jeanne a été ravie de cette escapade. Ils avaient pris leurs serviettes de bain. Ils se sont assis au soleil. Rémy est allé nager.

C'était une de ces journées sans importance, qu'on accepte de laisser filer simplement parce que c'est l'été, les vacances.

Toute cette lumière sur l'eau. Jeanne a fermé les yeux. Elle a dormi un peu. Quand elle les a rouverts, Rémy était allongé près d'elle, la tête entre les bras, il dormait.

Elle s'est assise, les genoux relevés.

Elle a regardé le lac. La surface lumineuse. Les gens. Un oiseau s'était posé dans les herbes, c'était un rouge-gorge, encore en duvet, il semblait mal en point.

Des enfants jouaient tout près, elle a essayé de deviner à quoi, mais leur jeu semblait dû au hasard et ne pas avoir de règles.

Elle a vu Martin, sur la plage, il marchait les pieds dans l'eau. Il n'était pas seul. Il y avait une fille avec lui.

Jeanne les a suivis des yeux, jusqu'à ce qu'ils se perdent dans les vibrations de la chaleur.

Rémy avait invité son frère et Mélie à dîner, ainsi que deux cousins et leurs épouses. Jeanne s'est mise en cuisine en fin d'après-midi. Paëlla géante.

Elle préparait aussi des verrines et plein de choses rafraîchissantes.

La fenêtre était ouverte.

Qu'est-ce qu'ils fichaient ? Un homme et une femme, la cinquantaine. Trois fois qu'ils passaient devant chez Suzanne. Ils allaient au bout de l'impasse et ils revenaient. Jeanne les voyait faire. Ils avaient garé leur voiture sur le petit parking, près des poubelles. Suzanne était au travail.

Après leur troisième passage, ils sont entrés dans sa cour.

Jeanne est sortie, elle est allée leur demander ce qu'ils cherchaient.

La maison était à vendre, c'est ce qu'ils ont dit. Comme elle n'y croyait pas, ils lui ont montré l'annonce, sur leur iPad. C'était bien la maison.

Jef avait fait ça. Une vente sur Leboncoin, et sans prévenir Suzanne.

Plus tard, quand Jeanne lui a raconté ça, Suzanne a écouté sans dire un mot, elle est montée dans sa

Panda et elle a démarré en disant qu'elle allait le flinguer.

Elle a roulé cent mètres et elle a calé. Comme si elle avait buté contre un mur. Elle est restée sans réaction, derrière le volant.

Jeanne a ouvert la portière, côté passager.

— Fais pas de conneries.

Suzanne tremblait.

— Ce fils de pute…

Elle n'arrêtait pas de répéter ça.

Il n'en aurait donc jamais fini avec elle. Il ne l'épargnait pas. Qu'est-ce qu'il allait lui faire encore ? La rendre folle ?

Suzanne était solide, elle pouvait endurer, mais il allait lui falloir du temps pour encaisser ça.

Elle était stoppée en plein milieu de la rue. Une camionnette voulait passer.

— Faudrait qu'on se pousse un peu, a dit Jeanne en montrant le type qui s'impatientait.

Elle ne pouvait pas rester. Il était déjà tard, elle avait des invités.

Mélie avait apporté des pâtisseries marocaines et les cousines du crémant d'Alsace. Ils se sont tous extasiés devant la cuisine qui était presque finie. Rémy arrivait au bout. Plus que quelques détails.

Mélie l'a félicité.

Ils ont mangé les verrines, bu le crémant glacé en parlant de cet été particulièrement chaud. Le frère de Rémy a complimenté pour la *jolie petite décoration de table* et Jeanne a eu le désagréable sentiment qu'il se fichait d'elle.

Elle a servi la paëlla.

Ils ont parlé des Russes, de Poutine, de Trump, un dingue, ou pas tant que ça? de Merkel qui avait demandé aux Allemands de faire des réserves de nourriture, riz, pâtes, huile.

Ils ont parlé aussi des réfugiés, de la Syrie, de Calais, de Kadhafi, un dictateur peut-être, mais qui, tant qu'il était vivant, tenait bien la Libye.

Le frère de Rémy était intelligent, il était le plus intelligent de tous. Il a dit qu'on avait toujours tort de laisser pourrir les choses et qu'il n'y a pas d'innocents, jamais, il a insisté là-dessus. Et aussi qu'on était dans un entre-deux, à la fin d'un monde et avant l'avènement du suivant.

Il fallait reprendre de la paëlla. Plus personne n'en voulait? Elle était vraiment délicieuse. Un peu de fromage, alors? Jeanne a remporté le plat. Mélie a demandé la recette des verrines.

Quand Jeanne est revenue, le frère de Rémy parlait de ses collègues de travail, Des bons gars mais toujours à la surface des choses, quand tu les interroges, tu sais d'avance ce qu'ils vont répondre.

— Pourquoi tu le fais, alors?

— Quoi?

— Leur poser la question si tu connais leur réponse?

Rémy a posé la main sur le bras de Jeanne.

— T'énerve pas…

— Je ne m'énerve pas.

Ils sont allés chercher les sorbets. L'inconvénient des sorbets, c'est qu'ils fondent si on les laisse sur la table. La conversation a bifurqué sur la fragilité des glaces en général, et sur les projets de chacun, comme grimper le Ventoux à vélo, faire le tour du lac de Côme, partir dix jours à Madère.

Et elle, Jeanne, que voulait-elle ? Ils attendaient. Elle ne savait pas. Elle voulait comme eux. Qu'ils soient heureux. Revivre des soirées paisibles.

Ou bien rencontrer Marina Abramović en vrai, ça, oui, elle aimerait, elle aimerait vraiment. Ils l'ont tous regardée. À part Rémy, personne ne connaissait Abramović. Elle s'est un peu emballée. Elle leur a parlé de la photo, a proposé de leur montrer l'emplacement sur le mur mais personne n'a voulu se lever.

Elle leur a expliqué comme elle a pu mais elle n'est pas arrivée à les intéresser, c'était sa faute, les mots lui manquaient, ils se bousculaient, elle se faisait toujours avoir par l'émotion.

Alors elle a conclu que, si elle pouvait passer des vacances en Grèce, elle serait très heureuse aussi.

Tout le monde s'est détendu.

Ils ont repris des sorbets. Le chat a sauté sur les genoux de Jeanne. Le frère de Rémy a réclamé les pâtisseries marocaines, Jeanne avait oublié de les sortir, elle a dû virer le chat.

Elle a entendu le bruit. Un grattement du côté de la porte. Le vent sans doute. Le temps de récupérer les pâtisseries, et le bruit a repris. Ce n'était pas le vent. Il y avait quelqu'un.

Elle a ouvert.

C'était Suzanne. Elle était maquillée, trop et mal. Elle avait pleuré. Les larmes avaient délavé le rimmel. Elle semblait désorientée.

Jeanne a eu très peur.

— Tu es allée chez lui ?

Elle a fait oui avec la tête.

Jeanne l'a poussée dans la salle de bains.

— Tu as fait une connerie ?

— Non.

— Tu es sûre ?

— Je suis sûre. Je lui ai juste pété un peu sa porte.

Elles se sont assises l'une à côté de l'autre, sur le rebord de la baignoire.

— Il veut vraiment le divorce. Comment tu comprends ça ? Qu'il puisse me faire ça ? Après ce qu'on a vécu ensemble.

Jeanne a voulu lui prendre la main mais Suzanne l'a retirée. Même caresser son bras, c'était impossible.

— Il va me mettre sur la paille, c'est sa putain qui doit l'obliger.

Elle ne voulait plus lui parler.

Elle aurait voulu qu'il n'existe pas.

Elle a regardé la boîte qui était ouverte sur les genoux de Jeanne. Il y avait des cornes de gazelle, des boules de neige, des baklavas fondants. Ça sentait le miel, les amandes, la coco.

— Je l'ai vue, sa putain. Trop jeune, ça ne durera pas. Il va se faire plumer comme un oiseau.

Elle a lorgné les gâteaux.

— C'est *Les Mille et Une Nuits*, là-dedans.

Elle a pris un makrout fourré aux dattes. Elle a mordu dedans. Elle en a repris d'autres. Plusieurs à la suite. Elle piochait au hasard. Ses doigts étaient pleins de miel. Des morceaux tombaient de sa bouche. Elle mâchait, avalait. Elle ne disait plus rien. Elle fixait le carrelage blanc. Elle se tapissait l'estomac de sucre, s'anesthésiait la douleur, mais ça se voyait qu'elle était perdue.

À un moment, elle a mangé le papier avec le gâteau, elle a dû le recracher.

— Arrête, Suzanne, tu as vu dans quel état tu te mets ?

Elle avait du mal à avaler. Ça devenait écœurant.

— Faut que tu rentres chez toi, Suzanne.

Il lui restait un gâteau à la main, elle ne parvenait pas à le manger. Ses yeux étaient noyés.

Le visage d'Abramović s'est soudain superposé sur celui de Suzanne. Une performance filmée.

Jeanne se souvient de la vidéo, Abramović a du rouge sur les lèvres et sur les ongles, ses cheveux sont longs et noirs. Elle mord dans un oignon, elle mâche, elle bave, pour dire que c'est ça, une vie, que tout est à avaler, les bons comme les mauvais moments.

— Tu sais ce que je veux qu'on grave sur ma tombe ? a demandé Suzanne.

— Je ne sais pas, non.

— Les salauds, on peut les oublier, mais pas les autres. Je veux qu'on grave ça. Tu te rappelleras, hein ? Les salauds…

Elle a insisté.

Jeanne a dû répéter.

— Et toi, tu veux qu'on grave quoi ?

— Moi ?

Elle a réfléchi.

Elle a dit : Elle n'était pas parfaite mais elle a fait de son mieux.

Suzanne a hoché la tête, ce n'était pas mal.

Jeanne a pris une lingette démaquillante.

— On va en enlever un peu si tu es d'accord ?

— Pas tout.

— Non, mais un peu quand même.

Elles ont tourné la tête. La porte venait de s'ouvrir.

— Qu'est-ce que tu… ?

C'était Rémy. Il a vu Suzanne. Son visage. Il a interrogé Jeanne du regard.

Jeanne lui a souri, J'arrive…

Les invités sont partis tard.

Jeanne est restée dans le salon.

Elle a retrouvé sur internet une photo qui lui a rappelé la vidéo, Marina avec l'oignon. "Marina and Onion", Delhi Art Fair 2012.

Je mange un oignon. L'oignon représente ma vie. Je mange ma vie.

Un texte accompagne l'image : *Je suis fatiguée de devoir prendre des décisions de carrière, de devoir décider des expositions, des accrochages, d'attendre l'ouverture des musées, des galeries, d'assister aux vernissages, aux réceptions… fatiguée des cocktails interminables, debout, toujours, un verre d'eau à la main, faisant semblant d'être intéressée par les conversations… Je suis fatiguée de toujours tomber en amour avec le mauvais homme… Je voudrais aller loin, si loin que je ne serais plus joignable ni par fax ni par téléphone. Je voudrais devenir vieille, de sorte que rien ne compterait vraiment. Je voudrais comprendre et voir clairement ce qui est derrière tout cela… Je voudrais ne plus vouloir toujours plus…*

Les filles avaient décidé d'être utiles aux autres, elles passaient leur brevet de secouriste. Le week-end donc, place Bellecour, sous les tentes de la Croix-Rouge. Jeanne devait s'habituer à la maison sans les filles. Rémy aussi. Il continuait à mettre de l'argent de côté pour leur voyage en Grèce. Dix jours sur un paquebot qui sillonne, il avait rapporté des brochures.

Il parlait à nouveau d'acheter une maison plus petite, peut-être à la campagne, ils pourraient avoir un chien.

Jeanne s'occupait des fleurs du jardin. Le chat dormait sur une chaise. Il avait un coup de faiblesse, ça lui arrivait de temps en temps. Il devenait mou. Pour cinquante euros, une fille de Gap le magnétisait à distance, elle avait juste besoin d'une photo sur laquelle on voit bien les yeux. Rémy n'y croyait pas, il devait pourtant l'admettre, il suffisait de quelques jours pour que le chat soit à nouveau sur pied.

Rémy était dans le garage. Il avait acheté une cage pour capturer les rats. Les rats ont l'esprit de famille, mais quand ils n'ont plus rien à manger, leurs dents poussent, ils deviennent fous et ils se tuent entre eux. Rémy voulait en capturer un ou deux, les affamer et les relâcher pour qu'ils tuent tous les autres, même les petits dans les nids.

Il paraît qu'on se débarrasse des rats de cette façon, dans les pays de l'Est.

Le train de 18 h 01 est passé. Le chat n'a pas levé la tête.

Jeanne a laissé ses fleurs. Elle est allée téléphoner à la fille de Gap.

La cuisine était terminée.

Les vacances aussi. Il semblait qu'elles n'auraient jamais dû finir, et c'était déjà le dernier jour.

Une bonne odeur de terre flottait. Jeanne a regardé autour d'elle, les arbres, les champs, la ferme. Les fenêtres ouvertes au soleil.

Les parents, dans la cour.

C'était un quotidien simple. Des moments heureux.

De son fauteuil, et comme si elle avait deviné les pensées de Jeanne, la M'mé a murmuré, C'est beau, la vie. Ça passe vite, aussi, c'est peut-être pour ça que c'est si beau.

Zoé était assise sur le perron, le dos dans les lanières du rideau. Elle aussi préparait sa rentrée. La veille, elle était allée visiter sa nouvelle école, elle suivrait un apprentissage plus adapté, avec des professeurs spécialisés.

Du pouce, Zoé faisait défiler les photos du petit Lumix de sa mère. Elle s'arrêtait sur certaines. Les effaçait. Elle effaçait toutes celles sur lesquelles elle se trouvait.

Jeanne s'est approchée.

— Pourquoi tu fais ça ?

Elle n'a pas répondu.

Sur le paillasson, il y avait les brodequins de travail du père. Des chaussures qui allaient dans la terre. Ils avaient pris la forme des pieds larges et, habituellement, ils restaient à la cave.

Jeanne s'est assise à côté de Zoé.

— Ta mère ne va pas aimer du tout.

Zoé s'en fichait. Elle a fini ce qu'elle avait décidé et elle a reposé le Lumix sur la marche.

— Mes sœurs sont jolies, pas moi.

— Qui t'a mis ça dans la tête ?

Zoé n'a pas répondu.

Jeanne a dit qu'elle était jolie et bien plus que ses sœurs, qu'en plus elle avait une beauté intérieure, elle lui a parlé de la douceur, toutes ces conneries, et que les photos c'était de la mise à plat, pareil pour les miroirs, l'important c'est ce qui se dégage des gens.

Zoé s'était levée. Elle ne l'écoutait pas, elle s'éloignait doucement.

Elle s'est assise sur la balançoire que son père avait accrochée au début des vacances à une branche du marronnier. Elle a commencé à se balancer. À chaque retour, elle laissait racler ses chaussures dans la poussière, les pointes arrachaient la terre, ça les massacrait.

Les cordes grinçaient.

Combien d'allers-retours ?

Jeanne est allée bloquer la corde.

— Tu fais chier, Zoé !

La gamine a levé son visage. Le soleil d'été l'avait criblé de son.

— Tu es moins jolie que tes sœurs, et alors ?

Zoé n'a pas cillé.

Jeanne non plus.

— OK. Ça serait plus facile pour toi si tu l'étais autant, et on ne peut pas s'en foutre parce qu'au début les beaux ont l'avantage, ils gagnent toujours sur les autres. Mais au début seulement, Zoé, parce qu'après, les lignes de force se modifient.

Jeanne s'est placée en face, elle tenait à présent la balançoire à deux mains.

— L'image, l'apparence, ça se contourne et, sur la durée, les chances se répartissent autrement. À force de vouloir ressembler aux autres, on disparaît dans le paysage. Toi, tu ne seras jamais une miss, mais tu seras autre chose, parce que tu es sensible, et que le sensible, ça compte. Ça compte autant. Tu es un peu barrée aussi, je ne sais pas si ça sera une chance, mais tu as une fenêtre de tir, elle n'est pas grande, il ne faudra pas la rater.

Sans doute qu'il aurait fallu dire d'autres choses.

Que Zoé allait vivre, pleurer, aimer, tout ressentir comme les autres, mais plus bien fort que les autres, que sa vie serait différente de celle de ses sœurs, mais que si elle ne lâchait rien sur ce qu'elle était, si elle ne cherchait pas à être quelqu'un d'autre, alors oui, probablement, ça irait.

Jeanne a lâché la corde.

Zoé est restée immobile sur la planche, les souliers plantés dans la terre.

— Où elle est ?

— Quoi ?

— Ma fenêtre.

— J'en sais rien, Zoé. C'est à toi de la trouver.

— Tu ne peux pas t'empêcher de faire le pitre, a dit Emma quand elle a vu l'état des souliers.

Zoé s'est laissée glisser de la planche, lentement. Elle s'est approchée de sa mère.

Elles étaient à quelques centimètres. L'une était née de l'autre. Sous le regard de sa fille, Emma n'a plus rien dit.

Il n'y avait pas de bruit dans la cour, juste le mouvement lent des poules qui grattaient la terre.

Zoé a ouvert les bras, elle a enserré le corps de sa mère, avec le ventre gros et l'enfant dedans, elle s'est blottie fort.

Il pleuvait doucement sur la terre chaude. Le train de 18 h 01 est passé. Les lumières jaunes derrière les vitres. Les visages.

Le train suivant.

Il pleuvait toujours.

Jeanne est sortie.

Elle a ouvert un parapluie, s'est avancée dans le jardin. C'est toujours comme ça, fin août, le temps tourne, quelque chose dans l'air, il fera encore beau mais ce ne sera plus pareil, même s'il fait chaud, ce ne sera plus l'été.

Elle est allée au bout du jardin. Le bac dans lequel venait boire le renard était plein d'eau.

Le quai était presque désert.

Un homme était assis sur un banc. Seul. Sans valise.

Il avait la tête baissée. Les mains jointes. Il fumait. Sous la pluie. On aurait dit un cheval trempé qu'on a laissé au pré et qui subit.

On ne regarde pas les gens comme ça. Pas dans une telle intimité. C'est inconvenant, la mère l'aurait dit.

Qu'est-ce que la vie peut faire aux hommes pour qu'ils soient parfois à ce point tristes ?

Il ressemblait à Martin. Bien sûr ce n'était pas lui, mais Jeanne s'est rappelé la fois où ils s'étaient rencontrés dans la rue, sous la pluie.

Elle a refermé son parapluie. Les espadrilles dans les flaques.

Pour être sous la pluie, comme ce jour-là.

Finies les grasses matinées. C'était la reprise. Avant de se coucher, elle a préparé les affaires comme à l'habitude, les bols, les vêtements, les clés.

Rémy dormait. En travers du lit. Son territoire, les trois quarts. Les lits sont comme des sols. Ils sont les sols de la nuit. Jeanne s'est glissée en bout du matelas, recroquevillée au bord du vide. Elle a pensé dormir dans le lit des filles mais Rémy n'aurait pas compris. Il aurait pris cela contre lui. Elle aurait aimé dormir seule. Ou bien changer de lit, en acheter un plus vaste. Si elle proposait ça, Rémy demanderait ce qu'elle ferait des draps qui étaient tous en 160 ? Les draps, c'est intime, même aux filles ça ne se donne pas.

Le matin, elle était chiffonnée. Elle a versé du café dans son bol. Elle l'a bu debout, en regardant passer les trains.

— On pourrait acheter un 180.

— Un 180 quoi ?

— Un lit.

Rémy a levé les yeux.

— Tu ne veux plus dormir avec moi ?

— Je n'ai pas dit ça.

— Je ronfle, c'est ça ?

— Non, tu ne ronfles pas, c'est juste une question d'espace.

Il a jeté un coup d'œil à la pendule. Il était déjà en retard. Il a ramassé son sac, ses clés.

— Tous les draps sont en 160, on en fera quoi après ?

Jeanne a souri.

L'eau de la veille avait trempé ses espadrilles, avant de partir, elle les a mises à sécher dehors, au vent.

M. Nicolas était dans le hall. Ils avaient profité des vacances pour installer la vitre, comme prévu, épaisse, anticasse et antibruit.

Quand Jeanne est arrivée, tout était en place. À hauteur de mains, une fenêtre était découpée, trente centimètres sur cinq, une ouverture qui servirait à glisser les petits documents et la monnaie.

À hauteur de bouche, la vitre était percée d'une multitude de trous qui permettraient d'entendre les voix.

Un guichet vitré, c'est comme ça qu'il fallait qualifier l'endroit désormais.

C'était bien fait. Faire de son mieux, toujours, c'est l'essentiel.

— Avec ça, plus de soucis, a dit M. Nicolas.

Jeanne ne l'avait jamais vu sourire comme ça.

La matinée a été monotone et sans intérêt. À sa pause de midi, elle a mangé un sandwich en montant jusqu'à la place. Elle a pensé envoyer un texto à Martin pour lui dire qu'elle avait repris le travail. Elle ne l'a pas fait.

Elle a pris un rendez-vous chez l'ostéopathe pour cette douleur à l'épaule qui ne passait pas.

En fin de journée, elle s'est reposée un long moment sur le transat.

Les espadrilles n'avaient pas supporté la pluie, le tissu se décollait de la semelle de corde.

Il lui fallait retirer de l'argent, passer au pressing, récupérer les courses. Rond-point du Drive. Un camion roulait devant elle, il la gênait, l'a empêchée de sortir, elle a dû refaire un tour.

Elle a pensé à la vie, la vie en général. Elle avait sans doute vécu plus de la moitié de la sienne. Peut-être pas, mais sans doute oui. Est-ce qu'elle n'avait pas un peu dormi pendant toutes ces années ? Surtout les dix dernières ? Dunkerque, tous les étés. Les filles qui avaient grandi.

Est-ce qu'elle avait profité suffisamment ?

On a klaxonné, elle s'est rendu compte que le camion n'était plus là et qu'elle tournait encore.

Abramović avait tourné à bord d'un minivan pendant plus de dix heures, 2 226 tours exactement, à l'époque elle était encore avec Ulay, il conduisait, elle comptait les tours. Dans un couple, quand l'un en a marre, l'autre le ramène, lui tend la main, s'il s'en fout, c'est la fin du couple. C'est pour montrer cette nécessaire entraide que Marina avait eu l'idée.

Les gens des voitures étaient pressés, ils savaient tous où ils allaient.

Jeanne pourrait faire comme Abramović, tourner jusqu'à plus d'essence. Ou bien rouler tout droit pour voir où ça la mène. Il y a tant de choses qu'on peut faire. Avec Rémy, à part la bibliothèque et la piscine, la pêche et le foot, ils faisaient toujours tout à deux. Ils sortaient rarement l'un sans l'autre, et les gens qu'elle connaissait, il les connaissait aussi.

La M'mé dit qu'il y a toujours une ligne qui mène là où on veut, mais que la ligne n'est pas toujours droite.

Jeanne est sortie du rond-point.

Peut-être qu'elle pourrait suivre une de ces voitures, pour voir où ça la mènerait. Ce serait la surprise. Jeanne aimait les surprises. Les surprises, c'est du vent dans la vie. Peut-être que cette voiture l'emmènerait jusqu'à la mer ? Celle-ci, ou une autre.

Il fallait parfois provoquer le hasard. Jeanne a suivi une voiture. La première qui s'est présentée. Elle ne regardait pas les panneaux. Seulement la voiture devant elle. Elle en a suivi une autre, quand la première s'est arrêtée.

La destination était imprévisible.

Et si elle ne s'arrêtait pas ? Une voiture, une autre. Et si elle ne revenait pas ? Elle n'avait jamais envisagé cela. Rémy appellerait la police, dirait qu'elle devait juste passer au Drive.

Elle a baissé la vitre. Il faisait doux. Il lui semblait entendre la mer mais c'était seulement le vent. Le vent dans les arbres. La mer était bien plus loin, il fallait rouler encore.

Rémy était furieux. Il s'était inquiété. Où était-elle passée ? Il avait téléphoné, plusieurs fois, pourquoi n'avait-elle pas répondu ?

Elle avait pris une portion d'autoroute, quelque part entre La Tour et Voiron, depuis le temps qu'elle avait envie de s'asseoir à une table dans un de ces relais tristes, et de regarder les conducteurs en transit.

Elle a dû s'excuser mais ça ne suffisait pas. Rémy a voulu qu'elle promette que ça n'arriverait plus. Il fallait qu'elle arrête ses conneries aussi, tous ces trucs bizarres qu'elle faisait. Elle ne pouvait pas promettre ça alors il l'a traitée d'égoïste. Était-elle égoïste?… On la disait introvertie. Réservée. Sensible aussi. Suzanne disait qu'elle était naïve et trop sentimentale et qu'elle souffrait d'un sentiment d'infériorité.

Mais égoïste?

Il était vraiment très en colère. Comme il ne se calmait pas, Jeanne a pensé qu'il était jaloux, peut-être qu'il croyait qu'elle avait retrouvé quelqu'un, Martin par exemple, il pouvait imaginer ça, cela expliquerait la peur et la colère, alors elle a dit, Je te jure, je n'étais avec personne.

Et là, d'un coup, il y a eu un silence. Il s'est arrêté de crier. Et il a ri. D'abord brièvement, comme un hoquet, et puis carrément.

— Jeanne, ma Jeanne…

Il a répété ça, Jeanne, ma Jeanne, il n'était plus du tout en colère, il lui tenait la tête entre les mains, il lui embrassait le front, les yeux, et il continuait de rire, de bon cœur, dans son cou, comme après une bonne blague.

Il a dit, Je sais bien que tu n'étais avec personne. Je sais bien…

Comme si c'était totalement absurde.

Depuis qu'il y avait la vitre, à la poste, c'était moins drôle. Les clients n'avaient plus aucun intérêt à préférer Jeanne. Ils allaient et venaient en files qui s'étiraient, de longueur identique, devant chacun des guichets.

M. Nicolas affichait un air satisfait.

De son côté, Jeanne se sentait derrière la vitre tel un poisson dans un bocal.

Elle était là quand les clients arrivaient, identique, imperturbable, comme si elle ne quittait jamais son guichet.

D'elle, on disait qu'elle était gentille. Jeanne croyait à la gentillesse. À la bonté, en général. Elle croyait en la justice aussi. Elle pensait qu'il y a des gens vertueux. Des visages, elle en avait déjà vu des milliers depuis qu'elle avait été embauchée. Il y avait les chanceux et les autres. C'est en pensant à la malchance qu'elle a eu l'idée. Elle avait été affable avec les neuf premiers clients, alors au dixième, elle s'est montrée désagréable, tatillonne, maussade. Et elle a continué.

Un sur dix, cela demande de la concentration. Il ne fallait pas qu'elle se trompe. Et pas d'état d'âme. Sur la journée, il est arrivé que la dixième personne soit quelqu'un de très aimable. Il est arrivé aussi que sa gentillesse tombe sur un imbécile. Dans les deux cas, c'était dommage.

Et puis un grand type a laissé passer une vieille dame, alors qu'il avait déjà posé sa main sur la banque, un geste, une politesse décalée, il s'est placé ainsi, au dernier moment et sans le vouloir, sans le savoir, en position de dixième.

Mais était-ce lui, le dixième, ou bien la vieille dame ? Il avait touché la banque et dit bonjour à Jeanne. C'est comme s'il avait déconstruit l'idée.

Jeanne n'a pas eu envie de continuer.

Elle a eu envie de partir. De sortir de la ville et de rejoindre le beau ciel bleu du dehors.

Elle n'était pas très fière de ce qu'elle avait fait avec les gens.

Tu es à la ramasse, mon amour…, c'est ce que Rémy a dit quand elle lui a raconté.

Il avait raison, ça n'avait pas été très malin.

Le soir, comme c'était vendredi, ils sont allés au cinéma.

C'était le lièvre, l'animal bondissant qui avait tant émerveillé Zoé. Celui dont elle avait dit, On dirait la liberté! Il pendait, par les pattes arrière, au huitième barreau de l'échelle. Les plombs du père lui avaient criblé la tête. Du sang perlait de son nez, les gouttes tombaient dans la poussière.

La mère a retiré la peau, elle l'a retournée comme un collant.

Zoé se tenait à l'écart. Il ne fallait pas gêner le travail. Elle regardait de loin. Ça ferait mémoire, une telle atrocité.

La mère a jeté la peau au chien, il l'a chopée avec les dents. Elle a vidé le ventre à la main. Le dedans encore fumant, entre les sabots verts. Elle a emporté le lièvre mort dans la bassine bleue. Déjà les poules voraces se chargeaient du nettoiement.

Du perron, le père regardait.

Zoé s'est approchée des barreaux. Les deux pattes pendaient, retenues par des ficelles. Le matin encore, vivantes.

Des porte-bonheurs maintenant, on disait.

Zoé a dénoué les ficelles.

— C'est parce qu'il ne méritait pas de vivre?

— Qu'est-ce que tu racontes ? Bien sûr qu'il méritait. Tout le monde mérite.

— Même les méchants ?

— Même eux.

Elle a décroché une première patte.

— Est-ce que tout le monde meurt ?

Zoé connaissait toujours les réponses aux questions qu'elle posait. Jeanne a soupiré. Elle était sa marraine, les marraines répondent et ne mentent pas.

— Oui, Zoé, tout le monde.

— Moi aussi ?

— Oui.

— Quand ?

— Dans très longtemps, tu as plein de choses à faire.

Zoé a décroché l'autre patte.

— Quelles choses ?

Jeanne ne savait pas, alors elle a dit, des choses…

— Et lui, il n'avait plus rien ?

Emma a téléphoné deux jours plus tard. Hors d'elle. Pour dire que Zoé faisait des cauchemars, qu'elle rêvait d'araignées et d'œufs d'araignées, elle était dévorée, ça la faisait hurler.

— Tu avais besoin de lui dire ça, hein ? Qu'elle va mourir ? Hein, tu avais besoin ?

— Je lui ai promis la vérité sur son berceau.

— Mais lui dire qu'elle va mourir !

Emma criait.

— Tu es folle. Tu dois souffrir de dépression, du côté de la M'mé, il y en a des comme ça.

Avant de raccrocher, elle lui a donné le nom du psychologue qui s'occupait de Zoé.

Rémy dit que seulement deux personnes sur mille s'intéressent à la vérité. Il dit aussi que les psychologues ne font rien, ils restent dans leur fauteuil, prennent leur chèque en consultation non remboursée.

Jeanne n'a pas jeté les espadrilles. Elle a essayé de les recoller. Le tissu, à la semelle, avec de la bonne colle.

Jeanne aurait voulu être différente.
Elle aurait voulu être forte. Comme Abramović.
Quand elle était très jeune, Abramović pensait que la douleur mettait en contact avec la vie. C'est de là que vient sa performance avec les couteaux.
Il n'existe pas de vidéo. Seulement quelques rares photos. Elle changeait de couteau chaque fois qu'elle s'entaillait. Une fois la série finie, elle a recommencé.
Elle voulait confondre le passé et le présent. Superposer le temps. Voir où elle s'était trompée et comprendre ses erreurs.
Sa mère a voulu l'enfermer quand elle a vu ses mains, pensant qu'elle était folle, qu'elle avait un défaut, une anomalie.

Jeanne a écrit :

Lettre n° 13

Chère Marina,
Je le décide, je le fais, c'est simple, c'est votre credo. Ce que vous avez osé à Édimbourg, avec les couteaux… J'ai essayé, j'ai planté la lame entre mes

doigts, je voulais savoir ce que vous aviez ressenti, mais c'est plus difficile qu'il n'y paraît.

Quand Rémy a vu les coupures, il a demandé ce que j'avais fait. Je lui ai dit que je m'étais griffée aux rosiers. Je ne pense pas qu'il y ait cru car il a voulu savoir quand j'attaquais l'autre main.

Elle finissait de ranger les courses dans le placard quand son téléphone a sonné. Elle a cru que c'était Emma qui voulait encore râler. Elle a vu le M sur l'écran. Son cœur a cogné. Ce n'était pas un texto. Il l'appelait.

Un coup d'œil à la pendule, Rémy n'était pas encore rentré.

Elle a décroché.

Est-ce qu'il la dérangeait? Il était heureux de l'entendre. Comment allait-elle? Est-ce qu'elle avait le temps de parler? Jeanne est sortie sur la terrasse. Il était à Annecy, chez lui, devant le lac. Il avait trouvé quelqu'un de très intéressé pour sa maison, il fallait qu'il se décide. Il allait sans doute vendre. Vendre une maison au bord d'un lac!

Il avait des envies d'ailleurs.

— Annecy ne suffit pas?

— Annecy n'est pas la mer.

Jeanne s'est assise sur le transat. Ils ont parlé de la mer. Il a raconté que, petit, il tamisait la rivière près de chez lui, il trouvait des cailloux brillants, il croyait que c'étaient des pépites.

— Un jour, j'en ai eu suffisamment, j'ai voulu les vendre à un bijoutier, je voulais m'acheter un bateau. Le bijoutier s'est moqué de moi.

— Et qu'as-tu fait des cailloux ?

— Je les ai rejetés à l'eau.

Elle lui a parlé du travail qui avait repris, du film épatant qu'elle avait vu le vendredi précédent, elle avait beaucoup aimé, vraiment.

— C'est rare que j'aime à ce point-là. Souvent, je m'ennuie…

— Au cinéma ?

— Pas seulement au cinéma.

— Tu t'ennuies aussi avec moi ?

Elle a ri. Non, elle ne s'ennuyait pas avec lui. Il a voulu savoir comment s'appelait le film. Elle ne savait plus. Elle ne se souvenait jamais des titres. Mais c'était un film en italien, elle aimait beaucoup cette langue. Elle a dit que les paysans de son pays à elle avaient inventé un langage sifflé qui leur permettait de se parler d'une colline à l'autre.

— Le père connaît ce langage.

Elle a dit *le père*. Elle s'est excusée.

Il a dit qu'elle ne devait pas s'excuser, qu'il aimait ces expressions de terre.

Il lui a parlé de Giono.

Et puis :

— Tu ne voudrais pas qu'on se revoie ?

Rémy était rentré, il a bondi de joie, son cri, du fond du garage, il avait capturé trois rats ! Deux noirs et un blanc.

Il a insisté pour que Jeanne vienne voir.

Il s'est penché sur la cage.

— Lui, ça doit être le plus fort, il a dit en montrant le blanc, il va tous les avoir à mon avis.

Elle disait tout à Rémy. Et depuis toujours. Elle ne lui a pas dit que Martin avait téléphoné. Il aurait posé des questions. Aurait peut-être proposé de l'inviter à dîner, il était capable de ça, juste par sympathie, pour passer un moment, après tout, il connaissait Martin lui aussi.

Elle a coiffé ses cheveux. Un peu de rouge sur ses lèvres. Elle les a fait claquer. Un coup d'œil au miroir de la vitrine. Elle a remonté la rue jusqu'à la place. Elle a regardé les gens. Les gens, pas la ville. Quand on regarde les gens, ça peut être n'importe quelle ville. Et puis elle a regardé la ville et plus du tout les gens.

Elle est entrée dans une boutique. Elle a passé une petite robe en tissu mousseline dans les tons gris-bleu. Une coupe droite, à mi-cuisse. Deux centimètres de manche. Tissu soyeux. On aurait dit du satin.

La robe lui allait bien, une vraie métamorphose.

À la ferme, c'est la mère qui coupait les vêtements, des patrons qu'elle étalait sur la table. Des cousines plus âgées donnaient leurs vieux vêtements, ils arrivaient dans un grand sac, on fouillait dedans, il y avait du choix mais pas de la qualité.

Il est venu l'attendre à la sortie de la poste. À sa pause de midi. Dans la petite ruelle derrière, c'est ce dont ils étaient convenus.

Elle a avancé vers lui. Son visage.

Il l'a regardée venir. Dans cette robe qu'elle portait. Et qui lui allait si bien.

Tout de suite, il a vu ses mains, les entailles fines. Un sparadrap. Il ne lui a pas demandé ce qu'elle avait fait, il a juste pris ses mains, par le bout des doigts.

— Il y a beaucoup d'os dans une main. Vingt-sept exactement. Des petits, des longs, ils ont tous un nom. Si quelqu'un s'est donné la peine de les nommer, c'est qu'ils sont utiles.

— Et dans un crâne?

— Quoi, dans un crâne?

— Il y a combien d'os?

Il ne savait pas.

Elle avait trois quarts d'heure. Ils ont décidé de marcher. Ils ont remonté la rue piétonne, avec les boutiques de chaque côté.

Il partait.

C'est ce qu'il a dit. Le chantier de Montplaisant était presque terminé, il restait les finitions que les ouvriers pourraient faire sans lui.

— Et tu t'en vas loin?

— Loin, oui. Au Japon.

— Pourquoi?

— J'ai une promesse à tenir.

— Que tu ne peux pas tenir ici?

— Non.

Ils étaient arrivés sur la place des cafés. Ils se sont arrêtés.

— Tu pars quand?

— Dans quinze jours.

C'était brutal. Elle a ri, nerveuse. Le frère de Rémy dit qu'on peut faire tenir une vie entière dans un seul jour.

Elle a recommencé à marcher.

— Tu vas rester parti longtemps?

— Je ne sais pas.

— Cette promesse faite… c'est à une femme?

— Oui.

Elle s'est excusée, elle n'avait pas voulu être indiscrète. Il a sorti une cigarette de son paquet. Il l'a allumée entre ses deux mains refermées.

— Ma sœur.

Il a soufflé une première bouffée. Il y avait du monde sur la place, des gens comme eux, qui traînaient.

— Barbara faisait de l'urbex. L'urbex, c'est quand on pénètre dans des endroits abandonnés, comme les manoirs, les très vieux hôtels, les hôpitaux, les prisons. Elle prenait des photos. Plus c'était glauque, plus elle aimait. Elle me disait toujours où elle allait.

Il a repris une taffe.

— L'an dernier, elle est allée à la Ca' Dario et elle ne me l'a pas dit.

Il s'est arrêté au milieu de la place.

— La Ca' Dario, c'est un palais maudit. Si elle me l'avait dit, je lui aurais interdit d'y aller. On l'a retrouvée au bas du grand escalier. Personne n'a pu expliquer ce qui s'était passé. Quelque chose a dû la terrifier, elle a dû vouloir sortir, courir.

Il a tiré deux longues taffes à la suite. Il a soufflé la fumée au ciel.

— Elle m'avait envoyé un texto juste avant d'entrer, pour me dire qu'elle était là-bas. Je n'ai jamais reçu celui de sortie.

Il a regardé Jeanne.

— Je l'aimais beaucoup.

Il a fini sa cigarette. Il a écrasé son mégot sous sa chaussure.

— Elle avait le projet d'aller au Japon, il y a une île là-bas, en mer intérieure de Seto, l'île de Teshima, on peut y enregistrer nos battements de cœur et venir écouter ceux de quelqu'un qu'on a aimé, même si cette personne n'est plus là.

Il a fait quelques pas.

Jeanne n'avait pas bougé. Alors il s'est retourné, il est revenu vers elle.

— Barbara voulait que son cœur batte sur cette île. Elle avait enregistré ses battements, quelques jours avant de partir à Venise, comme si elle avait eu la prémonition qu'elle ne pourrait jamais vraiment aller là-bas.

Il a eu un silence, après quoi il a dit, C'est pour ça que je dois aller au Japon.

— Tu me montres ?

Emma avait les yeux fermés. Elle a soulevé son tee-shirt. Son ventre était rond. On aurait dit une lune.

Les taches de rousseur avaient disparu de ses joues, comme si l'enfant de son ventre les avait prises pour lui. Zoé avait fait cela aussi, quand elle était dans le ventre, mangé tout le son au visage de sa mère pour le mettre à ses joues. Il avait fallu plus d'un an pour que les joues d'Emma fabriquent à nouveau ses taches d'or.

La M'mé aussi regardait le ventre, du seuil de la porte. Et la mère, derrière la fenêtre de la soupente.

Le père. Du jardin, en train de se rembrailler. Plus le ventre grossissait et plus le père était taiseux. Jeanne a croisé ses yeux. Il n'y avait pas de tendresse dedans, juste de l'espoir. Ça ne lui avait pas passé. Voir ça avant de trop vieillir. Après, avec le grand âge, quoi qu'il arrive, on se détache.

Les filles sont utiles, mais un garçon, ça fait le nom. Emma savait qu'il pensait ça. Mais elle s'en fichait, elle l'avait dit, Je ne fais pas cet enfant pour lui.

Jeanne voudrait que ce soit un garçon pour que le père soit heureux.

Elle en était là. Pauvre cloche!

Dans le carnet, elle écrit :

Citation de M. A. *J'ai mis du temps à comprendre mais maintenant, je sais. Les femmes ne sont pas moins fortes que les hommes, non, ce n'est pas ça, mais elles renoncent. Elles laissent leurs rêves pour réaliser ceux des hommes.*

Tout de suite, elle a vu le bordel, le pot de peinture renversé dans l'herbe, un pinceau à côté. Après,
elle a vu la façade, taguée, GRO SINS, à la peinture
blanche et en grandes lettres, avec une bite dessinée à côté. Le tag se voyait du trottoir.

Suzanne était dans son fauteuil en velours. Elle
a ouvert les yeux. Elle a mis sa main en visière à
cause du soleil.

— Ah, c'est toi…

Elle a ébauché un sourire.

Jeanne a montré le tag.

— Qui a fait ça ? C'est pas Jef quand même ?

— Jef ? Non…

Elle a secoué la tête en se marrant. Elle a montré,
du côté de l'impasse, il n'y avait personne, mais le
geste dénonçait les frères Combe.

— M'ont matée pendant que j'étais sous la douche. Ils m'ont dit des choses. C'est vraiment des
p'tits cons.

Elle a pointé la fenêtre avec, dessous, la caisse sur
laquelle ils avaient grimpé.

— Y a pas de volets. Je lui disais, à Jef.

Elle avait mal. Elle avait honte.

Elle est entrée dans le garage, elle est ressortie avec une bâche et une boîte de clous. Elle voulait clouer la bâche contre la fenêtre. Jeanne lui a dit qu'il existait du film en plastique à coller sur les vitres pour faire opaque.

— Je dirai à Rémy qu'il en achète. Il pourra te le placer aussi.

— En attendant, je vais clouer ça.

Suzanne a tourné la tête en direction du portail.

— Tiens, te revoilà toi.

Celui qui avait la tronche plate était debout au milieu de l'allée.

Suzanne a reposé la bâche. Elle s'est avancée vers lui. Il portait un short et des baskets. Ses chevilles étaient crasseuses.

— T'es un peu gonflé de revenir. Tu viens finir ta petite littérature ? *Gro sins*... Faudra apprendre l'orthographe, seins ça ne s'écrit pas comme ça.

— C'est pas moi qui...

— Tes frangins et toi, c'est pareil, même soupe !

Elle a regardé derrière lui, dans l'impasse.

— T'es tout seul ? Ils sont pas là ?

Le gosse n'a pas répondu. Sa lèvre inférieure tremblait. Elle lui a tourné autour. Il ne bougeait pas.

— Tu veux que je te dise, tes frères, j'oublierai ce qu'ils m'ont fait, mais ce que tu m'as fait, toi, je ne l'oublierai pas.

— J'ai rien fait, moi.

Elle a ricané.

— T'as rien fait ? T'as pas regardé ? T'es pas monté sur la caisse ? T'as rien dit ?

— Non.

— Tu te marrais pas ? Si, tu te marrais, et plus fort que les deux autres. Et même, tu crois que ça changerait quelque chose? Dans ta petite tête de lézard, tu imagines que si on ne fait rien, on n'est pas responsable? Tu es pire que les deux autres, tu as laissé faire, t'as pas eu un geste pour empêcher.

— … m'auraient cogné.

— Et alors? Les hématomes, ça passe, alors que la honte, ça suit. La conscience, t'as déjà entendu le mot?

Elle lui tournait autour. Ses cheveux pendaient. Le gamin restait les bras ballants, il fixait la terre. Il n'osait pas la regarder.

— La honte, tu vas apprendre.

Suzanne a posé ses mains, deux étaux sur ses épaules. Elle a pesé. Il a plié des genoux. Il s'est mis à chialer en silence. Ça coulait de lui, la bave, la morve.

— Arrête, Suzanne.

— Ils ont arrêté, eux?

— C'est qu'un gosse.

— On ne regarde pas le corps des gens. Sauf s'ils sont d'accord.

Le Tête Plate tremblait, elle ne le lâchait pas.

— Je vais te dire une chose, gamin, de la honte, dans une vie, on en a droit à un sac, et quand le sac est plein, le poids nous enfonce en enfer. Toi, avec ce que tu as fait, ton sac, il est plein à ras, t'as plus de marge, c'est con parce que t'es encore un gosse et que c'est long, la vie, il suffira que tu fasses une autre petite saloperie et tu sentiras vite le cramé sous tes orteils. Tu as la sensation?

Elle l'a bousculé parce qu'il ne répondait pas.

— Pense à bien cogiter là-dessus la prochaine fois que tu voudras te marrer de quelqu'un.

Elle a retiré ses mains. Il n'a pas bougé. Il était libéré, il aurait pu partir. Il est resté. La honte coulait sur ses joues sales.

— Une dernière chose, qui s'ajoute à tout ce que je t'ai dit : T'auras beau venir chialer comme un veau dans mon jardin tous les jours que Dieu te donnera à vivre, on ne sera jamais quittes, toi et moi.

Elle s'est détournée de lui.

Elle a fait un geste de la main.

— Et pour que tu sois pas venu pour rien, tu vas me ranger tout ce bordel.

Le Tête Plate a relevé les yeux, lentement, soulagé, comme si par ce commandement elle le délivrait enfin.

Son pied s'est détaché des ombres, il s'est posé un peu plus loin. L'autre a suivi. Et le Tête Plate a fait ce que Suzanne avait ordonné, il a tout ramassé, le pinceau, le pot, le couvercle. Il a gratté, avec les mains, la peinture qui avait coulé dans les herbes. Il a nettoyé les herbes, avec les doigts, il coupait les brins, un par un. Les gardait dans sa main. Les glissait dans sa poche. Même la terre, il a nettoyé.

Le tag, au mur, était violent. Jeanne est allée chercher de l'eau, elle voulait le faire disparaître.

— Ça, on le laisse, a dit Suzanne.

Il fallait qu'ils aient la honte sous les yeux.

Les deux aînés ne sont pas revenus, ni le lendemain, ni les jours suivants. Ils ont pris leurs quartiers de l'autre côté des rails. Dans une nouvelle rue. Jeanne les a vus, plusieurs fois, leurs silhouettes dressées dans le soleil couchant.

Seul le cadet continuait de zoner. Il calait son vélo en face de chez Suzanne et il attendait on ne savait pas quoi. Personne ne lui disait rien, ni bonjour, ni va-t'en.

Par moments, ça lui prenait, il enfourchait son vélo et il pédalait comme un dératé, jusqu'au bout de l'impasse. Il allait et il revenait, comme si une mouche l'avait piqué.

Il faisait ça.

Et il s'arrêtait.

Suzanne disait que ça allait mais ce n'était pas vrai. Elle avait du mal à boucler ses fins de mois. Elle aurait voulu faire plus d'heures à l'hôtel mais c'était impossible. Elle avait peur aussi que Jef revienne, qu'il profite de son absence pour reprendre la télé et emporter tout le reste, les outils, la table, la tondeuse.

Elle avait cloué la bâche. Elle ne l'a pas enlevée, pourtant Rémy avait collé une double épaisseur de film opaque sur ses vitres.

Elle ne voulait plus sortir. Il fallait qu'elle se bouge.

Jeanne a dû insister pour qu'elle l'accompagne à nouveau à la piscine.

Suzanne a fait quelques longueurs et puis elle s'est arrêtée.

Jeanne a continué. Des nageurs la frôlaient, ils crawlaient en intensif, tenaient tout le couloir, leurs bras la bousculaient. Ça devenait compliqué. Elle a fini par renoncer, a rejoint Suzanne au bout du bassin.

Elles sont restées un moment, le dos aux jets.

— Ça reviendra, le bonheur, a dit Jeanne.

Suzanne a haussé les épaules.

Le bonheur, ça se croise, et à cette pioche, tout le monde a sa chance. Ça se croise mais ce n'est pas donné, et si on n'en prend pas soin, ça s'en va ailleurs et on ne sait pas où, chez d'autres, qui ne l'ont pas encore eu, ou qui le méritent mieux. Après, il faut attendre que ça repasse. Parfois ça repasse. Et parfois pas.

— De toute façon, c'était un abruti, Jef.

Ses yeux étaient rougis par le chlore. Comme elle ne nageait pas, elle avait froid.

Elle est sortie du bassin.

Jef, elle voulait l'oublier mais il était dans sa mémoire, c'est ce qu'elle a dit une fois sous la douche. Qu'elle aimerait changer de corps, en avoir un autre, un qu'il n'aurait pas touché, pas baisé, un que les Combe n'auraient pas maté. Faire peau neuve, comme les serpents. On ne fait peau neuve de rien. L'eau lui coulait dessus. Elle se frottait fort, elle en mettait trop. Trop d'eau, trop de shampooing, trop de savon. Elle parlait en même temps qu'elle se lavait. Autour, tout le monde l'écoutait. Ça coulait en mousse partout.

Brève interview de Marina Abramović, lue à la médiathèque, et recopiée dans le carnet.

— Avez-vous une définition de l'homme parfait ?
— Oui. C'est celui qui ne cherche pas à me changer. Le rêve !
— Est-ce qu'il y a des choses que vous regrettez ?
— Professionnellement ?
— En général.
— Ce que j'ai fait à Naples. C'était de la folie. Et aussi de m'être lacéré le ventre, cela je ne le referai pas. C'était n'importe quoi !

— *Et votre marche sur la muraille de Chine ?*

— *C'était très long et très fatigant mais je ne regrette pas.*

— *C'était plus éprouvant que Naples ?*

— *Plus, oui.*

— *Et maintenant ?*

— *Je ne sais pas. Vous savez, dans une vie, si on arrive à avoir une ou deux bonnes idées, c'est déjà bien.*

Lettre n° 14

Chère Marina,

J'ai lu sur internet que vous aviez lancé une collecte de fonds pour la construction d'une école d'art ou d'un musée. À moins qu'il ne s'agisse d'un vieux théâtre à Hudson, que vous aimeriez acheter et transformer en école d'art? Je n'ai pas bien compris. Du financement participatif, c'est ce qui était écrit. Ce n'était pas très clair sur le site. Il faut que j'étudie cela. Si vous aviez une brochure à m'envoyer…

Je feuillette tous les magazines d'art à la bibliothèque. Je vous aime tellement!

Hier, j'ai voulu faire comme vous, me dessiner une étoile avec une lame de rasoir. C'est de la folie! J'ai quand même réussi une branche de deux centimètres, je vous en fais le dessin. Je me demande comment vous avez fait pour tracer l'étoile entière.

— L'hiver sera froid.

Le père l'a dit. Pourtant on était encore très loin de l'hiver. Il devinait, à des choses, le mouvement des vents, l'épaisseur des mousses, l'agitation des bêtes, celles du dehors, les sauvages.

Jeanne était montée à la ferme après le travail. Emma avait vu la voiture et elle avait traversé la cour. Elle portait une affreuse robe dont le tissu moulait la rondeur de son ventre. Elle était fatiguée. Le bébé était lourd.

Elle a tiré une chaise.

La mère a dit, On va enlever le rideau, bientôt faudra à nouveau fermer les portes.

La M'mé a tourné la tête. Elle n'aimait pas l'idée du froid, des jours courts, des heures lentes.

La vaisselle de midi était encore sur le banc. Les bols du matin, dans la bassine. Une mousse épaisse recouvrait la surface.

Jeanne a glissé sa main dans le gant rose.

Zoé s'était tassée dans le sombre, entre le vieux fauteuil et l'angle de la cheminée, un recoin de fagots et de gros bois. Elle parlait seule, murmurait des choses, une poésie peut-être.

— C'est une sorte de malédiction hein, toutes ces filles.

Jeanne a croisé les yeux de la mère.

Jeanne voulait parler du frère.

— Vous l'auriez appelé comment ? Je veux dire, s'il était né ?

Elle voulait juste savoir. La mère a regardé le père. Jeanne a vu l'échange dans le miroir.

C'était à la mère de dire. C'est elle qui avait porté.

— Jean, elle a fini par répondre.

Le père s'est levé, il est sorti.

— C'est lui qui voulait un garçon.

— Lui, oui.

Zoé s'est arrachée de son trou. Elle s'est approchée.

— Pourquoi tu as fait de la peine à pépé ?

Jeanne a plongé les mains dans l'eau savonneuse. Pour la première fois depuis longtemps, elle s'est détendue.

Les deux sœurs.

Et la mère.

La mère a servi un café tiédasse. Jeanne a tourné la cuillère dans sa tasse. Elle ne mettait jamais de sucre. Elle brassait pourtant, pour le bruit.

Dans le fond de la pièce, Zoé ouvrait la porte qui donnait sur le couloir, et elle la refermait. Elle faisait ça depuis un moment. C'était agaçant. Emma lui avait dit d'arrêter. Elle continuait. Ouvrait. Refermait.

— Comment elle va ?

— Tu vois…

— Et l'école ?

— Je ne sais pas. Elle commence son année. Tout est nouveau pour elle, il faut qu'elle s'habitue.

Pas de bus, ils l'emmenaient à tour de rôle.

Zoé continuait à battre la porte. Avec la régularité exaspérante d'un métronome.

Emma regardait dehors. Elle essayait de garder son calme. Le vent s'était levé, il secouait les branches du marronnier.

Le père est parti avec le tracteur.

Zoé a continué son jeu insupportable jusqu'à ce qu'Emma bondisse et envoie valdinguer la porte.

Jeanne était rentrée avec Zoé. Elle avait proposé de la garder quelques jours, le temps qu'Emma se repose.

À peine arrivée, Rémy lui avait montré le rat, le blanc, il était seul, il avait tué les deux autres.

La faim le rendait fou. Déjà, il mordait les barreaux. Quand il le relâcherait, il se ruerait dans tous les nids.

Zoé est restée collée à la cage pendant qu'ils préparaient le repas.

Il a fallu l'appeler, plusieurs fois. Insister.

— Tu viens dîner?

Zoé s'est assise en face de Jeanne.

Après dîner, elle est retournée voir le rat. Elle lui a parlé.

Plus tard, elle a voulu une histoire. Une histoire jamais entendue. Les histoires jamais entendues, depuis le temps qu'on en raconte, cela n'existe plus. Et puis il fallait dormir. Il y avait école le lendemain. L'établissement de Zoé était à La Tour, à dix kilomètres de là, il faudrait se lever tôt, Jeanne devrait prendre la voiture, emmener Zoé, revenir ensuite en ville et trouver une place pour se garer pas loin de la poste.

Zoé a insisté pour l'histoire, alors Jeanne lui a parlé du professeur du train et de la dame au chapeau bleu. Deux êtres faits pour se rencontrer, mais qui ne prenaient jamais le même train, saison après saison, et personne ne pouvait rien faire pour eux, c'est pour ça qu'ils étaient si seuls, tous les deux, derrière leur vitre.

Elle lui a parlé de Zeus et des êtres coupés en deux moitiés. Zoé l'écoutait. Elle la fixait sans rien dire.

— Parfois, le hasard permet que deux moitiés séparées se retrouvent, même si ces deux êtres ne se sont jamais vus, ils se reconnaissent. On appelle amour le sentiment merveilleux qu'ils éprouvent.

Zoé avait les mains fermées, l'une dans l'autre. Elle attendait que Jeanne continue. Qu'elle donne une suite, ou raconte une nouvelle aventure.

— Fin de l'histoire, a dit Jeanne. Maintenant, au lit!

Zoé n'a pas bougé.

Jeanne a fait rouler une pêche jusqu'à ses mains. Zoé les a ouvertes au dernier moment et elle a bloqué le fruit.

Lettre n° 15

Chère Marina,

Votre école d'art, quelle bonne idée ! Bien sûr, j'ai envoyé de l'argent, un petit virement, ce n'est sans doute pas grand-chose par rapport aux sommes énormes dont vous avez besoin, une goutte d'eau dans un océan, mais je suis vraiment très très heureuse de participer.

À présent, je fais partie de vos soutiens.

Vous dites que votre corps est fatigué, qu'il a trop subi, trop souffert, et que c'est la raison pour laquelle vous voulez créer cette école.

Je ne pense pas qu'avec un tel projet, vous viendrez à Paris cette année. Peut-être même pas l'année prochaine. Vais-je vous voir un jour ? J'aimerais tellement aller à New York, mais New York est inaccessible, et Rémy qui ne jure que par Dunkerque !

Le lendemain, elle a reçu un mail, une réponse provenant du site officiel de Marina Abramović.

On la remerciait pour sa participation.

On disait que les dons reçus dépassaient les espérances, et que chaque donateur recevrait quelque chose en échange, une récompense, c'était le principe, et quel que soit le montant du don.

Pas plus de détails.

Les détails viendraient plus tard.

Bien sûr, ce n'était pas Marina qui avait écrit.

Jeanne s'est arrêtée sur le seuil. Ils étaient là tous les deux. Martin, avec Rémy. Ils prenaient un verre dans la cuisine.

Elle aurait voulu ne pas se montrer. Rester dans ce couloir. Mais Zoé était déjà avec eux, bruyante, ouvrant son cartable pour montrer les choses merveilleuses qu'elle avait dessinées.

Rémy s'est retourné.

— Ha! voilà Jeanne! Jeanne! Regarde qui est là!
Il est venu rapporter le DVD.

Elle s'est avancée. Ça lui a fait plaisir, qu'il soit là. De le revoir.

Elle était gênée aussi.

Il s'est levé.

Rémy était déjà au pied de l'escalier, les entraînements avaient repris, il devait préparer son sac et filer.

— Il s'en va, et tu devineras jamais où.

Sur la table, il y avait des pistaches et des amandes. Le boîtier du film que Rémy lui avait prêté le soir de la fête et qu'il avait rapporté.

Il a ramassé sa veste, une heure qu'il était ici, il devait s'en aller lui aussi, mais c'était compter sans Zoé qui voulait des amandes. Il a dû en casser une pour elle. Et comme elle tendait encore la main, il en a cassé une autre, et une autre encore.

Rémy est redescendu avec son sac.

— Hein, tu devineras jamais où il va ? Au Japon !

Zoé a demandé où était le Japon et ce qu'il allait faire là-bas.

Martin a parlé de Teshima, et d'une cabane à l'autre bout du monde, dans laquelle on peut entendre battre des cœurs. Des milliers de cœurs sur une île merveilleuse, qui ressemble à un conte de fées. Et de ces gens qui font des heures de vol pour entendre un battement.

Et il leur a proposé ça, en parlant de Teshima, et alors qu'ils étaient encore tous les quatre dans la cuisine, d'enregistrer leurs cœurs, celui de Jeanne, celui de Rémy, celui de Zoé aussi.

Il a posé une amande dans la main ouverte de Zoé.

— Vos cœurs battront, avec des milliers d'autres, votre vie sera à la fois ici et ailleurs. Plus jamais de solitude.

Rémy s'est marré, il s'en fichait un peu de Teshima et il ne craignait pas la solitude.

— Mais vous pouvez le faire sans moi.

Il était en retard, il fallait qu'il file.

Il a serré la main de Martin.

— J'ai été sacrément content de te revoir.

Il s'est mis le sac à l'épaule. Une fois à la porte, il s'est retourné.

— Tu envoies des cartes postales, hein, promis ?

Pour enregistrer, il avait une application sur son iPhone. Il a tiré un tabouret. Zoé s'est assise juste en face de lui. Ses yeux brillaient, plus qu'à l'habitude.

Il a appliqué le micro sur sa peau.

— Plus un mot.

Il a enregistré. Deux minutes.

La porte était ouverte, Suzanne s'est avancée, elle a passé la tête. Elle avait vu Rémy partir, elle pensait Jeanne seule.

— Il se passe quoi ?

Jeanne a fait *chut* avec son doigt.

Suzanne a tourné la tête. Elle a vu Martin, avec Zoé. Elle a attendu contre la porte, sans faire de bruit.

L'enregistrement était fini, Zoé est descendue de son tabouret.

Le Tête Plate est arrivé à son tour, une approche en silence, sa petite silhouette en contre-jour, découpée.

Il avait la boule à zéro.

— T'approche pas avec ta tête pleine de lentes, lui a dit Suzanne.

Il a baissé les yeux. Sa poitrine se soulevait et s'affaissait vite. Il avait dû courir. Il portait un chandail tout déformé.

— T'as des poux ?

Il a fait non avec la tête. Ni poux ni lentes.

— C'est ta mère qui t'a tondu ?

Même négation.

— Alors c'est qui ? C'est pas toi tout seul qui t'es fait ça ? C'est tes frangins ? Ils t'ont fait la tête d'œuf ? Et pourquoi qu'ils t'ont fait ça ?

Il n'a pas répondu.

Zoé s'est approchée de Suzanne. Elle lui a tiré la manche, des petits coups secs, en désignant du doigt le Tête Plate, C'est ton enfant ?

Suzanne a haussé les épaules.

— Ça va pas non !

Zoé a souri au Tête Plate. Cette bouche étrange, un peu écrasée.

Elle lui a expliqué pour les cœurs de Teshima.

Après, elle lui a montré Martin.

Le Tête Plate s'est approché lentement du tabouret. Il a pris place entre les jambes de Martin.

Jeanne s'est avancée à son tour.

La vie se déroule comme ça, on se fixe des points, des horizons. Et on y va. Quand on a atteint ce point, on s'en donne un autre à atteindre, quelque part dans le temps.

Peu importe le temps que ça prend.

Elle s'est assise. Sur le tabouret. Presque contre lui.

Ils se sont regardés.

On ne connaît pas les bruits de son cœur. On connaît celui des autres. Jeanne connaissait celui des filles. Celui de Rémy. Le sien pulsait à soixante-quinze battements par minute, des *bpm*, disait le docteur.

Jeanne n'aimait pas penser à son cœur. De l'écouter, elle avait toujours peur qu'il ne s'arrête.

Martin a repris son iPhone.

— De jour comme de nuit, un cœur ne s'arrête pas. Pas de dimanche, pas de semaine. Il bat.

Il a vérifié les deux enregistrements.

— On croit que c'est immobile à l'intérieur, que c'est du silence, mais ça bouge tout le temps. Il suffit d'un mouvement et les organes glissent, ils se heurtent. Ça fait du bruit, un peu comme des ondes. Tout est serré, enchevêtré, mais entre les organes, il y a du vide.

— Rémy dit que le vide n'existe pas.

Martin a eu un étrange sourire.

— Le vide existe.

Jeanne a regardé son visage.

Bientôt, il s'en ira, ils auront eu quelques semaines.

— Comment tu sais tout ça ?

— Mes parents voulaient que je sois médecin, ils m'ont fait faire des études.

— Et tu as préféré les murs ?

— Oui.

Il a fait quelques réglages. Il a touché son bras. Le geste, à lui couper le souffle. Un cœur, deux valves. Il fallait qu'elle se calme. Il a posé sa main. C'est là que le cœur pulse. Deux centimètres sous le sein. Elle a fixé un point, au loin, au-dessus de l'épaule, au fond du jardin.

Ils étaient à quelques centimètres l'un de l'autre. Elle sentait sa chaleur. Elle pouvait respirer l'odeur troublante de sa peau par le tissu fin de sa chemise.

Sa peau, à portée de bouche. Le col était ouvert. Elle aurait pu y poser ses lèvres si elle avait voulu, sa bouche, elle tout entière. Calme-toi mon petit cœur…

Il a ri.

— C'est une vraie petite chamade là-dedans.

C'est dans ce vacarme fou qu'il a placé le micro de l'iPhone. Elle a senti le froid de l'appareil. Le chaud de sa main. Il a fait glisser le micro de quelques centimètres.

— Prête ?

Elle a fait oui avec la tête.

Il a continué d'enregistrer au-delà des deux minutes.

Le soleil avait glissé derrière les hangars. Suzanne était partie. Zoé était passée dans le garage avec le cadet des Combe.

Sur la table, il y avait les coques brunes des amandes.

Martin a glissé l'enregistrement dans un fichier sécurisé pour le retrouver une fois là-bas.

Jeanne a sorti son téléphone.

— À mon tour.

Elle a enregistré ses battements, avec sa touche magnétophone, des pulsations lentes, sauvegardées, pour se prouver plus tard que ce moment avait existé, qu'elle n'avait pas rêvé.

Il pourrait aller où il voudrait, aussi loin que possible, il lui suffirait de brancher son téléphone.

Il avait déjà tout étudié. Il lui a raconté, une arrivée par le port d'Ieura. Il faut aller au cœur de l'île. On prend un vélo ou un bus, on continue quinze minutes à pied après l'arrêt de bus. Il y a deux cabanes là-bas, dans l'une, on enregistre les battements, et dans l'autre, on les écoute.

— Tu ne voudrais pas venir avec moi ?

— À Teshima ?

— À Teshima, oui. Ça doit être très beau, le Japon.

Elle pensait que cela ressemblait à une fin. Une fin triste, comme toutes les belles histoires.

Il est parti.

Le Tête Plate aussi.

Jeanne a rangé la maison. Les verres. Elle a jeté les coques des amandes. Le chat est venu se frotter à ses jambes, il avait faim. Il avait retrouvé une très bonne forme depuis que la fille de Gap l'avait magnétisé.

Zoé était près de la cage. Elle parlait au rat. Elle avait pris du gruyère dans le frigo et elle lui glissait des morceaux entre les barreaux.

La nuit tombait. Les jours étaient plus courts. Jeanne est sortie sur la terrasse.

Il avait dit cela, Je voudrais te revoir avant de m'en aller. Il l'avait dit alors qu'il avait fini d'enregistrer.

Et qu'ils regardaient les deux gosses dans le garage.

Le garçon androgyne a longé les rails, il avait pris par là pour rentrer chez lui. Il portait une veste jaune. Il rejoignait sa maison.

Le lendemain, Emma est venue rechercher Zoé.

Le Tête Plate lui avait tressé un bracelet avec des fils de coton et il l'avait noué à son poignet. Elle devra faire un vœu, c'est ce qu'il lui avait dit.

Zoé n'avait pas de vœu à faire, pas une seule idée, alors le Tête Plate avait noué les brins très serré pour lui laisser le temps d'en trouver un.

Tellement serré qu'on pouvait croire qu'ils ne se détacheraient jamais.

Martin avait dit qu'elle pouvait lui téléphoner quand elle voulait. Non, il n'a pas dit *téléphoner*, il a dit *venir*, elle pouvait venir quand elle voulait.

Pouvait-elle faire cela ?

Elle était au Darty. Plantée devant les téléviseurs. Plus de vingt écrans. Des très grands. Ils renvoyaient tous son image. Elle s'est vue. Démultipliée.

Elle a eu envie d'y aller. Le rejoindre. Pas dans la rue, mais à son hôtel.

Si elle le rejoint, elle croit qu'elle ne pourra plus jamais le quitter. Était-elle amoureuse ? Elle ne croyait plus l'être un jour. Elle s'était faite à l'idée que ce sentiment était du passé. D'autres sentiments, plus calmes, avaient remplacé celui-là, elle s'était habituée, se disait que le temps passait, que c'était ainsi. Ça ne la rendait pas malheureuse.

La M'mé dit que l'amour, ça vous arrive un peu comme la pluie.

Jeanne a ouvert son téléphone. Elle a laissé ses doigts sur le clavier.

Rémy et les filles, ça ne suffisait donc pas ? Qu'est-ce qu'elle voulait de plus ?

Elle est arrivée comme il ouvrait la porte. Il était là. Il l'attendait. C'est ce qu'il a dit, Je t'attendais. Ou je t'espérais. Ou tu es là. Ils ne se sont pas embrassés. Pas tout de suite. Juste regardés. Son visage à lui, dans ses yeux à elle. Et puis l'un contre l'autre. Son corps à elle, entre ses bras à lui. Serrée. Il l'a enveloppée dans ses bras. Dans ce couloir d'hôtel.

Il l'a embrassée, de toutes ses forces, accroché à elle, l'un à l'autre, dans ce couloir qui n'était pas la chambre.

Il l'a entraînée. A refermé la porte. Une fois dans la chambre, il lui a saisi le visage. Sa main sur sa nuque, ses doigts dans ses cheveux. Il l'a serrée, avec une puissance folle, même serrée ainsi, sans espace entre eux, elle semblait encore trop loin.

Il a retiré sa robe.

Elle a pensé à Rémy. Et puis plus rien. Elle l'a oublié. Parce qu'elle était emportée. Traversée. Plus rien ne comptait. Il n'y avait plus de monde. Plus de dehors. Plus de morale. Plus de convenances. Le désir de lui a tout balayé.

— Tu es belle.

Il a murmuré cela, après, dans le creux de son oreille. Il a chuchoté des mots.

Les vêtements étaient au pied du lit. Ils se regardaient, se buvaient, ils s'étaient retrouvés dans cette mise à sac, les deux parties séparées étaient à nouveaux imbriquées, nouées, confondues.

Elle, caressée, engloutie.

À la vue de la maison, Jeanne a ralenti son pas. Elle croyait que c'était écrit sur son visage, tout ce qu'elle avait fait dans cette chambre. Que c'était marqué partout, qu'elle est une femme qui couche ailleurs.

Elle a ralenti encore, au point de presque s'arrêter.

Quelqu'un pouvait l'avoir vue sortir de l'hôtel. Un ami de Rémy ? Un voisin ? Il dirait, J'ai vu Jeanne…

Qu'est-ce qu'elle pouvait avoir dans le crâne pour avoir fait ça ? Et si Rémy l'apprenait ? Rémy finissait toujours par tout deviner. Même avec les filles. Il avait ce sens intime.

Elle a retrouvé la maison, son dedans, l'odeur familière, les objets, toutes les choses qui lui appartenaient. Tout était à sa place. Sur la table, le journal du jour, sa crème pour les mains.

Rien sur son visage, juste une rougeur inhabituelle à son cou, dans le creux blanc des salières.

Elle n'avait pas envisagé ça. Qu'elle puisse faire ça. Rejoindre un homme dans une chambre.

Elle l'avait fait pourtant. Et elle y est retournée, le lendemain. Impatiente. À la manière de ces filles légères, aurait dit la mère, et sur cet horaire indécent, de cinq à sept, on le sait bien, les filles qui font ça…

Elle finira en enfer, c'est ce qu'elle a pensé en grimpant l'escalier. Elle se fichait de croiser quelqu'un. Elle n'avait plus d'éducation, plus de morale. Elle s'est jetée dans ses bras. Il était son amant. Son amant de toujours. Elle l'avait retrouvé. Son amour d'il y a longtemps.

Il a appuyé son front contre le sien. Il a embrassé ses yeux, sa bouche. Il l'a respirée à pleins poumons, a pris son odeur, comme s'il avait eu peur qu'elle ne vienne pas.

Dans la chambre, Jeanne était vivante. Elle était une autre Jeanne.

Ça durerait trois jours.

Trois jours seulement.

À être vivante pour lui.

À être belle.

Une coureuse, aurait dit la mère.

À la ferme, Jeanne avait vu des bêtes se prendre parce qu'un jour, ça les emportait, ça les soulevait, à les rendre capables alors de briser des portes, même les plus paisibles, celles pour qui le père disait, On n'aurait pas cru ça d'elles, et elles retrouvaient la paix après.

Elle était blottie.

Elle aimait. Elle aimait à nouveau. Et passion-nément. Et elle était aimée. Et c'était merveilleux.

Martin caressait sa peau, il suivait d'un doigt le tracé insensible d'une fine cicatrice sur la cuisse.

— Surtout ne va pas croire que je suis amou-reuse de toi…

— Tu ne veux plus être amoureuse ?

— Je ne suis plus assez folle pour ça.

Il passait d'un grain de beauté à l'autre.

— Moi, je suis amoureux.

Elle s'est détachée de lui. Elle s'est levée, a ouvert la fenêtre, s'est appuyée au petit balcon. Il l'a re-jointe. Il l'a enlacée.

Dans une heure, Rémy sortirait du travail, il ren-trerait à la maison. Que verrait-il d'elle ? Tant qu'elle était dans les bras de Martin, elle ne pensait pas à Rémy, ni à lui ni aux filles, c'est comme s'ils n'exis-taient plus.

Elle a écouté Rémy raconter sa journée. Il était passé à la boutique de pêche, avait envie d'une canne en titane.

Les filles ont téléphoné.

Comme chaque soir, Jeanne a préparé sur la table les affaires du lendemain.

Elle a écrit dans son carnet :

Citation de M. A. *Les autres ne doivent rien décider pour nous.*

Citation suivante, page suivante.
On croit que, passé soixante ans, on est vieux et qu'il n'y a plus rien à faire, mais c'est une erreur, il ne reste pas mille choses encore à faire mais on peut quand même en faire quelques-unes.

Jeanne avait quarante-trois ans.
Il restait trois pages dans son carnet.

— Reste.

Ils jouaient avec leurs mains. Elle ne le voyait pas dans la pénombre.

Des pigeons roucoulaient sur le rebord de la fenêtre, leurs griffes raclaient le zinc.

— Tu pourrais venir me rejoindre après, sur Teshima, je te ferais visiter l'île.

Il a raconté Teshima. Elle a imaginé l'île, le port, les collines couvertes de rizières, les forêts d'érables odorantes, les chemins de traverse que l'on prend et qui mènent aux cabanes et à la mer.

Elle l'écoutait. Elle rêvait. Les rêves, c'est facile, aucune barrière ne les empêche.

Elle a embrassé sa bouche. Sa poitrine. Son visage. Elle aimait ce qu'il disait. Elle pensait que s'il décrivait bien et qu'elle écoutait fort, sa vie pouvait devenir ce qu'il racontait.

— Raconte encore.

De ses doigts, il jouait avec ses cheveux.

— On irait au Japon respirer les cerisiers en fleur, et en Chine, pour voir les soldats en terre cuite.

Elle a imaginé ce futur qu'il inventait pour eux.

— Et après?

— Après, on louerait une maison au bord de l'eau. On mangerait du poisson grillé en regardant les couchers de soleil.

— Où, la maison ? À Teshima ?

— Non, sur l'île de Miyajima.

— Pourquoi cette île ?

— Parce qu'elle est sacrée, qu'on y est hors du temps et qu'il est interdit d'y mourir.

Elle s'est renversée sur l'oreiller, elle fixait le plafond, imaginait ce bord de l'eau où la mort était impossible.

— Et après ?

Il a allumé une cigarette. Après, il ne savait pas. Ils imagineraient.

Elle l'écoutait fumer.

Elle avait passé sa vie à mettre les choses en ordre, à présent que tout était rangé, sécurisé, et alors qu'il ne faudrait plus rien toucher, elle chamboulerait tout ? D'un autre côté, c'était peut-être le moment ? Les filles étaient grandes.

— Pourquoi ?

— Pourquoi quoi ?

Ils étaient blottis l'un contre l'autre.

C'est lui qui avait demandé. Il a insisté.

— Il y a longtemps que je voulais te demander ça.

— Me demander quoi ?

— Notre rendez-vous à la fontaine, tu t'en souviens ?

— Bien sûr.

— Pourquoi tu n'es pas revenue le lendemain ?

Elle n'a pas compris. Elle n'a pas bougé. Elle a attendu qu'il continue.

— Tu avais écrit que tu serais à la fontaine le mercredi, et aussi les deux jours suivants. Le mercredi, il y avait les copains, je sais, j'ai pensé à ce moment souvent. Je suis revenu les deux jours suivants.

Jeanne ne se rappelait pas avoir écrit ça, qu'elle serait là aussi les jours d'après. La mémoire ne lui rendait pas cela.

Elle a dit, Je ne me souviens pas.

Elle avait les yeux ouverts. Elle fixait la lumière derrière la vitre.

Il a resserré son bras, l'a étreinte fort.

— Tu me le donnes ?

Ils étaient sur le pas de la porte. Il l'avait retenue par le bras. Il a retiré le foulard qu'elle avait noué autour de sa tête, comme le jour de la fête.

— La moitié seulement.

Elle a dit ça. Pour rire.

Il a hoché la tête, a entaillé le tissu d'un coup de dents. Il a tiré sur le tissu, qui s'est déchiré lentement.

Elle est ressortie de la chambre.

Dans l'escalier, elle a chancelé un peu.

Une fois dans la rue, elle a levé les yeux. Il était derrière la fenêtre. Il lui a fait un signe de la main. Elle l'a regardé sans savoir s'il reviendrait un jour, ni si un jour elle le reverrait, alors elle a écarté les bras, comme pour dire qu'elle était navrée, pressentant aussi qu'il fallait que ce soit ainsi.

Dès qu'ils se sont touchés, ils se sont perdus. Avant même qu'ils se touchent.

Peut-être qu'il aurait fallu ne jamais se toucher.

Il avait dit, J'ai pensé à une chose, une chose pour nous. Quelque chose d'un peu fou, c'est t'emmener avec moi là-bas. Pas dans six mois mais tout de suite. On pourrait partir ensemble maintenant.

Et aussi qu'il allait rester là-bas quelque temps.

Il lui avait fait prononcer le nom, Teshima, en mer intérieure de Seto.

Comme une adresse.

Elle a rangé la maison, préparé le repas. Les bols étaient dans l'évier, elle les a lavés. Le chat est venu se frotter à ses jambes. Elle l'a nourri et il est ressorti, côté jardin. Il n'allait jamais au-delà des rails. Derrière, c'étaient d'autres territoires.

Comme lui, Jeanne avait des frontières. Elle appelait leur intérieur *Zone de confort*. Martin lui avait montré que ça continuait après, que c'était bien aussi, derrière, que ce n'était pas la peine d'avoir si peur.

Sur la table, il y avait les deux couverts. Ses affaires, toutes les choses qui faisaient son quotidien et à quoi elle tenait. Son travail à la poste n'était pas passionnant, mais pouvait-elle prendre le risque de le perdre ? Lui, il avait son travail, quels risques prenait-il ? Alors qu'elle… Et si elle le perdait, elle n'était pas sûre de pouvoir en retrouver un autre. Et puis qu'est-ce qu'elle savait de Martin ? Alors que de Rémy, elle savait tout. Ils avaient leurs petites habitudes, ils n'étaient pas riches mais ils avaient des économies, ils pouvaient s'offrir des petits plaisirs et ils s'entendaient bien, c'était important, ça, ce quotidien, la vie, la maison, la famille. Et que diraient les filles ? Ce n'était pas le problème des filles. Elle a regardé autour d'elle, tout ce qu'elle aimait et que Rémy avait fait dans la maison, la cuisine, le grand placard et les faïences de la salle de bains, et dehors, l'abri de jardin, la peinture sur les chaises, et le banc, la haie, le petit potager. Elle a ri, on ne reste pas avec un homme pour un potager. Ils avaient construit tellement de choses ensemble. Pouvait-elle faire cela? Rémy et les filles, c'était suffisant à son bonheur. Ça devait suffire. Elle s'était habituée à cette vie et, jusque-là, elle s'en contentait.

C'était une belle vie. Et Rémy était l'être le plus doux qu'elle connaissait. Et puis elle était une femme d'habitudes.

Leurs souvenirs, elle balaierait tout ça pour un homme qui passe?

Elle est sortie jeter les épluchures sur le compost. Elle est restée là. À fixer le tas.

Il avait murmuré à son oreille que l'avion n'était pas complet. Il restait des places. Pas beaucoup. Il avait téléphoné pour s'en assurer. On pouvait toujours prendre un billet au dernier moment.

Elle avait remonté la rue.

Il avait dit, Je t'aimerai toujours.

Il avait dit, Je t'attendrai. Il l'avait répété, plusieurs fois, je t'attendrai, je t'attendrai, je t'attendrai.

En la serrant à lui couper le souffle.

Rémy l'a trouvée dans le jardin en train de piocher la terre des massifs. C'était rare qu'elle fasse cela à cette heure. Il s'est assis sur le muret. Il a parlé de la prochaine saison. Il a dit qu'il pensait refaire la terrasse et les marches qui mènent au jardin.

Il avait promis aux filles qu'il repeindrait leur chambre, oui, en rouge puisqu'elles voulaient, mais pas tout de suite. Sans doute au printemps suivant.

Il avait garé sa Mustang à l'entrée du terrain vague. Il lui avait à nouveau confié le double de la clé, si elle pouvait la changer de place de temps en temps, qu'on n'aille pas penser qu'elle était abandonnée, Au bout d'un an et d'un jour, si je ne suis pas revenu, elle est à toi.

Une vie ne suffit pas. Jeanne aurait voulu en avoir plusieurs, pour vivre tous les choix qu'elle n'aura pas faits, toutes les directions qu'elle n'aura pas prises.

Les autres vies permettent peut-être cela.

Comme les chats. Les chats ont sept vies, et au terme de la septième, ils emportent leur maître avec eux.

Elle a fait un rêve. Dans ce rêve, le soleil brille, il fait chaud, elle est avec Martin, ils sont sur un vélo, c'est lui qui pédale, elle est assise sur le porte-bagage, il l'emporte.

Elle s'est réveillée.

Il faisait encore nuit.

Elle a tendu le bras. Elle ne voyait plus sa main, elle a fini par trouver le fil, l'interrupteur. Elle a allumé. Rémy dormait, un souffle paisible, la joue écrasée sur l'oreiller.

Elle s'est levée sans faire de bruit. Elle a mis sur ses épaules le plaid doux offert par les filles. Elle est sortie dans le jardin. Il n'y avait pas de bruit, juste la lumière des lampadaires.

Avec Martin, ils allaient vivre à nouveau, chacun de leur côté, deux destins différents. La fin était contenue dans le début.

Peut-être qu'elle aurait dû partir avant. Il y a longtemps.

S'arracher à cette géographie.

Elle a raison, Abramović, des moments importants dans une vie, il n'y en a pas tant que ça. Même
pas un par an si on y réfléchit bien. La naissance.
On parle, on marche. On entre à l'école. On a nos
règles. Il y a le premier baiser. On fait l'amour pour
la première fois.

Et puis on rencontre un homme.

Un homme qui vous aime, et que vous aimez
aussi, totalement, comme une même partie de vous.

— Tu as dormi là ?

Elle avait passé le reste de la nuit sur le divan, enroulée dans le plaid doux.

— Je n'arrivais pas à dormir. Je suis descendue boire. Tu ne m'as pas entendue me lever ?

— Non. Tu aurais pu remonter après.

— Je ne voulais pas te déranger.

Rémy était assis sur le siège bas du salon. Il lui a montré sa main. Il venait de se tailler les ongles, très ras, avec un coupe-ongle.

— Tu veux que je m'occupe des tiens ?

Elle a fait non avec la tête.

Elle s'est passé les mains sur le visage.

Il avait préparé du café. Elle en a bu une tasse.

On était samedi, Rémy avait décidé d'aller à la pêche. Il était très tôt et il faisait encore un peu nuit. Il voulait être au lac au lever du soleil, pour se donner toutes les chances de rapporter un brochet. Les cannes étaient déjà dans la voiture. Lui, debout, à la porte.

Les filles venaient. Il a demandé à quelle heure.

Il est parti.

Jeanne a détaché le jour à l'éphéméride. Elle a gardé le papier dans sa main. Un coup d'œil à la pendule, il devait être à l'aéroport. Attendre l'embarquement. L'attendre elle aussi, peut-être.

Tant qu'il était à l'aéroport, elle pouvait le rejoindre. Elle aurait voulu que l'attente finisse. Qu'il soit parti, envolé. Une fois qu'il sera loin, la vie pourra reprendre. Tout sera à nouveau en ordre. L'ordre, après le grand désordre.

Un escargot s'était glissé entre la vitre et le volet. Il était collé. Impossible de savoir s'il était encore vivant. Elle a fait couler un peu d'eau sur la coquille.

Elle s'est concentrée sur les tâches domestiques, nettoyage de la cuisine, de la salle de bains, secouer les draps et les remettre, bien tirés. La couverture rabattue en un carré parfait. Tout ce qu'il y a à faire dans une maison.

Le téléphone a sonné. Elle a sursauté. Elle a cru que c'était lui. Mais c'étaient les filles. Non, il n'y avait pas de changement, elles arrivaient, mais pas seules. Pas seules ? C'était vrai cette fois, c'était la première fois qu'elles aimaient à ce point ! Jeanne a souri. Leur père était à la pêche, il fallait lui téléphoner, lui dire de rentrer. Ou lui faire la surprise merveilleuse de tous aller au lac ?

— Lui téléphoner, c'est mieux, a dit Chloé.

Les filles, avec des garçons.

Et du sérieux.

Jeanne a regardé la rue.

Quelle heure était-il ? Il fallait qu'elle se secoue. Elle a noué son foulard déchiré dans ses cheveux. Il fallait faire une pâte. Elle a sorti le lait, les œufs. Casser les œufs. Ouvrir le cahier de recettes. Ces garçons avaient-ils des allergies ? Des aliments à proscrire ? Les doigts de Jeanne étaient blancs de farine. Elle a mis de la farine entre les pages.

Son téléphone a vibré. Ses mains n'ont plus bougé. Cette fois, c'était lui. Elle n'a pas répondu. Elle a attendu en fixant le dehors. Le vent s'était mis à souffler, il prenait les branches du saule à rebours, les froissait, les emmêlait. Éplucher quelques pommes de terre. Faire tourner le lave-vaisselle. Préchauffer le four.

Il y avait un message à consulter. Elle ne l'a pas écouté. Pas tout de suite.

Elle aurait voulu ne pas avoir autant envie de l'écouter.

Il restait du fromage de la veille, le disposer sur un plateau. Préparer une salade avec les fruits.

Dans le four, la tarte cuisait, répandait les odeurs familières dans la maison.

Son avion décollait à midi trente, il disait qu'il fallait à peine vingt minutes pour venir à l'aéroport, qu'il attendrait le dernier moment avant de passer les contrôles.

Dans son carnet, Jeanne avait noté :

Citation de M. A. *Une partie de moi a certainement voulu le suivre, en a eu l'envie, mais l'autre partie n'a pas voulu. Et c'est l'autre partie qui a gagné.*

De qui parlait-elle ? De quel amant ? Celui de New York ?

Jeanne a levé la tête, elle venait d'entendre des bruits, des portières qui claquent, les pas sur le gravier, les rires des filles, en cascades.

Elle a passé les mains sur son visage, a rafraîchi ses joues brûlantes avec un peu d'eau.

Elle n'était pas triste.

Elle ne voulait pas l'être.

Elle a ouvert la porte, un sourire, brave petit soldat, et elle s'est extasiée, comme à l'habitude, un peu plus fort qu'à l'habitude, riante, les bras ouverts, elle s'est avancée.

Elle avait encore son tablier noué autour de la taille. Elle l'a ôté.

Et son foulard.

Mes filles ! Elle a tout jeté sur le banc, le foulard et le tablier. Les filles merveilleuses étaient là, avec leurs beaux amoureux !

Le vent soufflait. Trop de vent. Il a pris le foulard léger, l'a fait s'envoler, dans un tourbillon, avec les feuilles et la poussière. Les filles ont poussé des cris, elles ont couru, les garçons avec elles, pour le rattraper, un foulard comme un cerf-volant, les filles avec leurs amoureux, et Rémy qui venait d'arriver, lui aussi a couru vers eux.

On aurait dit que le vent les éloignait de Jeanne pour la laisser seule quelques instants encore, lui permettre de se détourner peut-être, lui donner le temps de s'en aller.

Le foulard avait volé jusqu'au bout de l'impasse, on aurait dit que le vent s'amusait là-bas avec lui. Ou qu'il se jouait d'eux.

Plus tard, ce sera un souvenir, ce foulard dans le vent. Ils diront, C'est la première fois qu'on a vu les filles avec les garçons.

Le téléphone de Jeanne a vibré dans sa poche. Plusieurs vibrations à la suite. C'était interminablement long.

Les filles revenaient, enlacées aux garçons. Ils étaient tous tellement gais. Ils étaient encore loin. Jeanne leur a souri. Elle leur a fait des gestes avec la main.

Le téléphone ne vibrait plus.

Le foulard avait fini par retomber. Rémy l'avait ramassé, il le brandissait comme un trophée.

Un jour, Elsa et Chloé auront des enfants, elles seront mères à leur tour. Jeanne vieillira et ça continuera.

Et puis Elsa et Chloé vieilliront.

Jeanne les aimait tellement. Elle était leur mère. Et Rémy était son mari. Il était leur père.

Jeanne connaissait des gens qui avaient tout détruit, tout ce qu'ils avaient lentement construit, ils avaient brisé en un instant ce qu'ils avaient mis un temps infini à bâtir.

Le bonheur existe seulement dans les petits instants, c'est le frère de Rémy qui affirme cela. Il dit aussi qu'on sait qu'on était heureux quand on ne l'est plus.

Elle a fermé les yeux très fort. Et elle les a rouverts. C'était une scène de rue qui ressemblait au paradis.

On ne quitte pas le paradis.

Les voisins étaient sortis sur le pas de leur porte pour voir ce qui se passait. Ils applaudissaient.

Rémy lui a tendu son foulard.

— Tu l'as déchiré ? Il faudra que je t'en achète un autre.

Elle a ri, faussement légère, se tournant vers les garçons, pour ne pas le regarder lui, Alors, c'est vous, les garçons ? Qui Théo, qui Fabien ?

Elle avait ses espadrilles aux pieds. La toile s'était déchirée sur le dessus. Son gros orteil sortait. C'est l'espadrille qui rigole. Elle n'arrivait pas à marcher correctement avec.

Maintenant, il faudrait dire cela, les filles, avec les garçons. Où placer les garçons autour de la table ? Cette année, pour Noël, ils seraient donc six, on sortirait les rallonges ou bien on achèterait une table plus grande. Pour Noël, elle avait décidé de faire des cadeaux utiles, pour cela elle devait s'y prendre à l'avance. Emma voulait des gants, Zoé des jeux. Les filles, un sac de marque. Et les garçons ? Devrait-elle acheter un cadeau aussi pour les garçons ? Ou serait-ce trop tôt ?

On ajoutera des rallonges, c'est bien mieux que de changer de table. Cette table faisait partie de leur vie, Jeanne ne voulait pas s'habituer à une autre. Tout le monde parlait en même temps. Et si on changeait carrément de maison ? C'est Rémy qui a encore proposé ça.

Il était 12 h 30. Jeanne a regardé le ciel par le carreau supérieur de la vitre. Vol Lyon-Tokyo. Changement à Amsterdam. Huit heures de décalage horaire.

Presque dix mille kilomètres à vol d'oiseau.

Le soir, ils sont tous allés au cinéma. C'était au tour de Jeanne de choisir le film. Elle a choisi le plus idiot, ils ont beaucoup ri.

Ils sont rentrés à pied.

Les filles marchaient devant. Avec les garçons, enlacées.

— Tu te souviens quand on s'est rencontrés, comme c'était fort, nous aussi ?

— C'est toujours fort, a dit Rémy.

Quand c'est le petit matin pour elle, lui est déjà dans l'après-midi.

Il avait dit qu'il passerait quelques jours à Tokyo avant d'aller sur Teshima.

Elle a glissé les espadrilles dans la boîte, avec le journal *Le Monde*, le sucre, la coquille d'escargot et la pièce de vingt cents de Slovénie.

Zoé a téléphoné, elle voulait savoir si les battements étaient arrivés sur Teshima. Elle avait déjà téléphoné la veille. Elle demandait juste ça. Elle ne disait pas sur l'île. Elle disait Teshima.

Jeanne lui a répondu qu'il fallait attendre encore.

Elle tapait *Tokyo* ou *Teshima*, ou bien *mer intérieure de Seto*, et elle suivait la météo et ce qui se passait là-bas, elle découvrait ces îles de légende où il est interdit de mourir, mais aussi de naître et de couper un arbre.

À la bibliothèque, elle a emprunté des auteurs japonais.

Sur l'avant-dernière page de son carnet, elle a tracé une ligne horizontale. Une partie de ce trait représentait les années avant Rémy. L'autre partie, sa vie avec lui.

Autant de vie sans lui qu'avec.
Pour Martin, un espace court, quelques hachures.
Presque rien à l'échelle.

— Il est parti ?

— Oui…

— Les psys disent que c'est surtout un truc de filles, le retour aux amours d'avant.

Suzanne a dit cela en ouvrant un paquet de Carambar.

Elle a ajouté : Les types, c'est moins con, ça préfère l'avenir.

La veille, des gens intéressés étaient venus pour sa maison, elle leur avait crié de dégager. Elle savait qu'un jour ou l'autre, ils reviendraient, ceux-là ou d'autres, qu'elle serait obligée de céder.

Et après ?

Elle irait où après ?

Elle avait décidé de vendre tout ce qui appartenait à Jef, les marteaux, les clés, les clous, il y en avait plein le garage.

Elle a poussé le paquet de Carambar devant Jeanne. Le tag était toujours sur le mur, avec la bite à côté.

— Il faudrait que je change, a dit Jeanne.

— Tu voudrais changer quoi ?

— J'aimerais être meilleure.

Suzanne s'est marrée.

— Tu es trop cérébrale.

— Parce que je dis que je veux changer ?

— Ça. Mais pas que.

— Je ne sais pas si on change.

— Les drames, ça change.

— Les drames, oui. Ou alors l'amour. Un grand amour. Oui, un grand amour, ça peut changer quelqu'un d'une façon inattendue.

— Ou alors la fin d'un grand amour.

Un avion est passé bas au-dessus d'elles, elles ont dû attendre qu'il s'éloigne pour continuer à parler. Après, elles ont fait la liste de tous les bruits qu'elles n'aimaient pas, comme les avions qui volent bas dans le ciel, les gens qui respirent fort, quelqu'un qui se brosse les dents, les ongles qui rayent le fer, un homme qui pisse.

— Ça, je t'assure, je ne supporte pas. Même Rémy, il ferme bien la porte pourtant, mais tu sais comment sont les portes. J'essaye de ne pas entendre, je plaque mes mains sur mes oreilles, mais après, quand il revient, je ne sais pas pourquoi, je me sens seule.

Le voisin d'en face a sorti ses poubelles. Il était en peignoir. Un tissu léopard, avec ses petits mollets blancs et son ventre sur la ceinture, on aurait dit DSK au Sofitel.

C'est ce que Suzanne a dit, Tu ne trouves pas qu'on dirait DSK ?

Il a tiré sa poubelle jusqu'à l'entrée de l'impasse. Elles ont pris un fou rire à cause de lui, et aussi des saloperies qu'elles ont dites sur le physique de la fille du Sofitel.

Chaque fois qu'elles se calmaient, elles retombaient sur le tissu léopard et les petits mollets.

Quand le voisin est revenu, il a planté son regard sur le tag, alors Suzanne a pris ses seins à pleines mains et elle les a soupesés pour bien les lui montrer en vrai.

Les poules étaient dans la cour. Dans l'œil de mire, il y avait la porte, la M'mé, la table, la compote et le père au bout de la table.

Des post-it sur le frigo, prise de sang pour la M'mé, livraison du fuel, ramonage de la cheminée.

La M'mé somnolait. Elle avait vieilli, elle s'usait. Et si son cœur s'arrêtait de battre, à bout d'usure et alors qu'elle somnolait ?

Le temps perdu, on ne le retrouve pas. Tout ce qui était là, tout ce à quoi Jeanne tenait tant, elle allait le perdre un jour. Elle ressentait cette émotion forte, l'émerveillement de vivre ce que l'on a déjà commencé à perdre.

Est-ce le départ de Martin ? La solitude de Suzanne ? Les filles parties ?

Rien ne dure. Jeanne s'est assise à côté de la M'mé, elle lui a pris la main qui était petite et froide.

La mère écrasait les pommes dans la casserole. Elle a ouvert le flacon d'épices.

— Je n'aime pas la cannelle, a dit Jeanne.

— Pardon ?

— La cannelle…

La mère s'est étonnée.

— Tu n'aimes pas ?

— Non.

— C'est nouveau?

— Non. En fait, je ne l'ai jamais aimée.

— Et c'est maintenant que tu le dis?

Jeanne n'a pas répondu.

La mère a hésité. Elle a reposé le flacon.

La M'mé avait entrouvert les yeux.

Le père, son regard a glissé. Jeanne s'est tendue. Une froideur pareille, ce n'était pas excusable. Qu'avait-elle de lui? Quels caractères transmis? Quelle hérédité de comportement?

Elle était née de lui, elle venait de lui. Un souvenir lui est revenu d'un coup, dans le rassurant de la cuisine. Six ou sept ans, elle avait. C'était l'été. Le père et la mère l'avaient emmenée en colonie, dans un chalet en Ardèche, ils avaient fait le voyage en auto, tous les trois, avaient pique-niqué au bord d'une rivière, Jeanne se souvient de la mère, elle s'était reposée sur la couverture, le père avait lancé des cailloux dans l'eau, Jeanne en avait lancé aussi. Il faisait très beau. Il y avait des fleurs et du soleil. Et puis il avait fallu rejoindre la colonie. Jeanne s'était retrouvée dans une cour. La valise, hors du coffre. Il y avait des enfants. On avait monté sa valise dans le dortoir. Après, tout était devenu très angoissant. Ses parents allaient partir, ils ne la laissaient pas, ils l'abandonnaient, dans cette maison inconnue, c'est pour ça qu'il n'y avait pas Emma ni les autres sœurs, qu'il y avait seulement elle. Et cette peur effroyable. Elle avait éclaté en sanglots, avait crié, elle s'était agrippée aux jambes de la mère, à la portière de l'auto, elle voulait repartir avec eux, retrouver ses choses, le chien, la ferme, la M'mé. Devant tant de désespoir, les parents avaient cédé, ils lui avaient dit d'aller chercher sa valise, mais Jeanne avait lu *Le Petit Poucet*, elle connaissait tous les contes d'abandon, toutes les trahisons possibles, toutes les formes de délaissement. Elle n'avait pas bougé. Les parents avaient dû payer le mois et ils l'avaient ramenée à la maison.

La mère a mis la compote à refroidir sur le rebord de la fenêtre.

— À quoi tu penses ?

Jeanne a souri. Elle était de cette ferme rêche, de cette cuisine sombre, elle était de cette campagne maussade campée dans le plus hostile de l'arrière-pays. Est-ce que les gens des villes ont les mêmes profonds attachements ?

Elle a touché la main de la mère. Elle l'a retenue un instant dans la sienne. Doucement, comme on le fait d'un oiseau. C'est l'enfance qui fait racine. Jeanne revenait toujours à ça. À cet ancrage.

Zoé est arrivée de l'école. Son père l'a déposée au portail. Elle est entrée dans la cour, son cartable sur le dos. Elle a relevé sa jupe et, sans plus de manières, elle a pissé sur la marelle, dans la case Ciel, les genoux dans les mains, les fesses nues au ras de la terre. Elle regardait le liquide fumant qui disparaissait dans la poussière.

Elle aussi était née de cette cour.

Le bracelet du Tête Plate était toujours à son poignet. Il semblait impossible qu'il se dénoue un jour. Et pourtant il se dénouerait, même si elle restait immobile, même si elle prenait un soin infini à faire qu'il ne se dénoue pas, malgré tous ses efforts, ses prudences, elle ne pourrait pas l'éviter, c'était encore invisible, souterrain, mais les brins avaient déjà dû commencer à se détacher.

— On est bien, tous ensemble, a dit Jeanne.

Ils ont tourné la tête. Doucement. Les quatre. Même le chien, il a semblé.

Suzanne a mis un panneau sur sa pelouse, VIDE-GARAGE, c'est le Tête Plate qui l'a planté. Un panneau plus grand que lui, il a dû monter sur une chaise.

En une heure, elle a vendu le taille-haie de Jef, une série de pinceaux, la perceuse, deux pneus neige, une niche, des tapis d'auto et sa collection de petites voitures Solido, encore dans leurs boîtes, elle les a bradées. Elle avait hésité, c'étaient vraiment de très jolies petites autos.

— Je te jure, si je pouvais, je changerais bien de vie.

— Et tu ferais quoi?

— N'importe quoi! Ce qui se présente.

— Même la pute?

Elle a secoué la tête.

— La pute, non, ça, je ne pourrais pas.

Maintenant, elle s'en foutait vraiment de Jef, elle ne voulait plus penser à lui, elle disait qu'il faisait partie de sa vie d'avant.

Jeanne a acheté la canne à pêche en titane pour l'offrir à Rémy. Ultra-légère. Le dernier cri. État neuf.

Le Tête Plate tournait autour du vélo. Il en avait vraiment envie. Le sien était trop petit, ses genoux touchaient le guidon. Suzanne était d'accord pour le lui vendre, mais au prix fort. Il n'avait pas d'argent. Il n'avait qu'à laver les bagnoles, c'est ce qu'elle lui a dit. Ou continuer à se cogner les rotules au guidon.

Jeanne lui a proposé de surveiller la Mustang. Pour dix euros la semaine.

Au bout de six semaines, il aurait le vélo.

La nouvelle est arrivée pendant qu'elle était chez Suzanne. Sous forme de mail : Tous les souscripteurs au projet de Marina pourraient participer à une performance avec elle. C'était la récompense. Ça se passerait à New York. Peut-être aussi quelque part en Europe. Ce point serait précisé plus tard. Jeanne devait dire si elle souhaitait participer.

Participer à une performance avec Marina ? La rencontrer pour de vrai ? Peut-être pouvoir lui parler ? La toucher ?

Bien sûr qu'elle souhaitait, quelle question !

— Tu lui as refilé l'argent de la Grèce ?

— Oui.

Suzanne a grimacé.

— Il va te tuer, Rémy, quand il va savoir.

— Il sait déjà.

— Il ne t'a pas tuée ?

— Non.

— Il a dû gueuler ?

— Gueuler, c'est pas tuer. Et puis il s'en foutait de la Grèce. Athènes, il y allait pour moi.

— Et c'est quoi, la fameuse récompense ?

— Je ne sais pas exactement… Un truc avec elle.

— Un truc ?

— Une performance.

— Tu veux mon avis ?

— Non.

Suzanne a regardé par la fenêtre, un voisin était intéressé par les outils de Jef, il fouillait dans le garage.

— Tu t'es fait plumer. Tu crois qu'elle t'aurait lancé un dollar si tu lui avais dit que tu repeignais ta cuisine ?

— Tu ne vas pas comparer. Elle, elle parle à tout le monde, elle inclut tout le monde. Qui on est, d'où on vient, ce qui nous arrive et pourquoi on est

comme ça. Pourquoi on souffre autant. Et qu'est-ce
qu'on fait de notre vie. Quel sens on lui donne.

Jeanne s'est emballée.

— J'ai eu peur de tout. Tout le temps. J'ai toujours tout pris au sérieux, mon mariage, la maison,
les filles. Tu vois bien comme je suis! J'ai des filtres.
Abramović m'aide à me sentir plus légère.

Suzanne restait dubitative.

— Tu ne m'enlèveras pas de l'idée que les travaux pour son théâtre, elle aurait pu se les payer
toute seule.

Jeanne lui a parlé du MoMA, des heures passées
à la table, à regarder les gens dans les yeux.

— Et les gens sont venus?

— Au début, non. Et puis il y en a eu de plus
en plus.

— Ils se disaient quoi?

— Rien. Elle avait fixé des règles. C'était interdit de lui parler. On ne devait pas la toucher non
plus. Les gardiens veillaient.

— Les gens restaient simplement assis?

— Oui. Le temps qu'ils voulaient. Il n'y avait pas
de limites. Il y en a qui s'asseyaient une minute et
qui repartaient. Un jour, un type est resté la journée entière.

— Et elle n'a rien dit?

— Non. Elle a eu très mal aux yeux. Comme elle
ne pouvait pas se les frotter, elle le faisait de l'intérieur. Par la pensée. Sharon Stone est venue, Björk
aussi. Un jour, elle a levé les yeux et il y avait Ulay.

— C'était son mec?

— Oui. C'est lui qui l'a arrachée à Belgrade.
Quand elle l'a vu, elle a été très émue. Elle a avancé
ses mains sur la table. Elle voulait le toucher. Lui,

il a fait non avec la tête, il savait qu'elle ne serait pas contente d'elle après. Ils se sont quand même touchés. Elle a pleuré.

— Il est resté longtemps ?

— Non, quelques minutes et il est reparti. Tout le monde a applaudi. Tu veux voir ?

Jeanne a tapé *Abramović MoMA* sur son moteur de recherche.

Suzanne a regardé, 3' 38" de vidéo sur YouTube.

— Et après ?

— Après, c'était fini. Elton John lui a envoyé des roses. Le dernier jour, il y a eu un dîner de gala, elle a voulu que tous les invités soient vêtus en noir, blanc et or, une question de symbolique je crois. Elle portait une tenue griffée Givenchy, une ceinture en or, une veste cousue avec plus de cent peaux de serpents.

— Et c'est à elle que tu as refilé l'argent économisé pour la Grèce, c'est bien ça ?

Jeanne a levé les yeux au ciel. Elle n'a pas répondu.

— Et vous allez faire quoi, à la place de la Grèce ? a demandé Suzanne.

— Comment ça ?

— L'été prochain ?

— On va retourner à Dunkerque. C'est bien, Dunkerque, on a nos habitudes.

Suzanne n'en revenait pas. Elle ne connaissait pas Dunkerque, mais elle imaginait.

— Pourquoi tu as fait ça ?

— Pour la petite fille que j'ai été.

Suzanne s'est marrée.

Jeanne était fatiguée.

— Ce n'est que quelques billets.

— C'était votre voyage.

— Mais je fais partie de son aventure maintenant, comme si elle m'avait admise *dans* son projet, tu comprends ? Ça va me permettre de l'être un
peu.

— D'être un peu quoi ?

Suzanne a tourné la tête.

Le voisin frappait au carreau, il voulait acheter
deux trois trucs, elle est sortie discuter du prix. Elle
est revenue avec des billets qu'elle a rangés dans un
tiroir. Le tiroir fermait avec un cadenas.

— Hein ? D'être un peu quoi ? a demandé Suzanne
en remettant la clé dans sa poche.

— Un peu l'autre.

— Quelle autre ? La Marina ?

— Non, pas elle.

Comment expliquer.

— J'ai l'impression qu'il y a deux Jeanne en moi,
une qui a eu envie de cette vie calme et bien rangée, et l'autre qui voulait être différente. La première a été la plus forte. Mais j'ai besoin, de temps
en temps, de sentir en moi la présence de l'autre.

Suzanne n'a plus rien dit. Elle a réfléchi un long
moment à tout ce qu'elle venait d'entendre. Ça faisait beaucoup, pour elle, d'un seul coup.

— Tu voudrais qu'on le fasse ? elle a dit, après
ce temps.

— Quoi ?

— Se regarder toutes les deux, comme au MoMA.

Dix jours déjà que Martin était parti. Elle n'avait pas reçu de nouvelles.

Elle n'en avait pas donné non plus.

Comme convenu, le Tête Plate surveillait la Mustang. Il passait après l'école. Il laissait un mot sur le pare-brise, il écrivait l'heure, et TVB.

Jeanne avait repris sa vie, son travail à la poste et les clients. Elle s'habituait doucement à la vitre de séparation. Elle faisait comme Abramović, les clients, elle ne les regardait pas arriver. Quand elle sentait qu'il y avait quelqu'un, elle relevait lentement les yeux. Souvent, les mains étaient posées, croisées. Avec les mains, elle essayait de deviner le visage.

Le visage, c'était la surprise.

Elle se disait qu'un jour, elle lèverait les yeux, et il y aurait Martin.

Elle a ouvert la portière de la Mustang. Elle s'est assise derrière le volant. Il y avait des traces, des déchirures dans le faux cuir des sièges, des brûlures de cigarettes, quelques papiers froissés, des autocollants dans la boîte à gants, un paquet de cigarettes avec trois cigarettes dedans. Le miroir du pare-soleil était fendu.

Elle est restée un moment à regarder le coucher de soleil.

Elle a croisé le Tête Plate en rentrant chez elle. Elle lui a donné les euros convenus, de quoi se payer un jour le vélo de Jef.

Elle a préparé le repas. Une salade de grenades pour Rémy qui adore ça. Pour le reste, riz ou lentilles ? Elle hésitait. Elle a sorti les deux paquets.

Elle a ouvert celui du riz. Quelques grains sont tombés. Translucides. La lumière du jour les traversait, leur dessinait des ombres courtes.

Elle a vidé le paquet sur la table. En pyramide. Une paroi ombre, l'autre lumière.

Elle a vidé le paquet de lentilles à côté. Un tas blanc et l'autre noir.

Les lentilles étaient sombres. Le riz brillait.

Avec ses paumes, elle a rapproché les deux tas, les a fait glisser lentement jusqu'à ce qu'ils se touchent, se mêlent, finissent par ne composer qu'une seule et même pyramide.

Elle a retiré du tas un premier grain et l'a fait glisser sur le côté. Elle en a ensuite sorti un autre. Et un autre. Patiemment, elle a séparé ainsi tous les grains, les noirs et les blancs. La lumière du jour éclairait un angle de la table. Elle ne pensait à rien. Dans le silence, elle entendait juste le bruit des grains qu'elle séparait.

On aurait dit qu'elle rebroussait le temps. Qu'elle réparait l'erreur faite du renversement des paquets.

On aurait pu le penser, qu'une fois la chose finie, Jeanne serait revenue à l'état premier, mais en se penchant, elle a vu un peu de poussière sombre dans le riz blanc, des éclats infimes de lentilles, à peine visibles et non triables.

De la même manière et par juste logique, de la poussière de riz devait subsister dans les lentilles, un dépôt invisible à l'œil et pareillement inévitablement existant.

La blouse en nylon de la mère a glissé entre la chaise et le mur. Jeanne l'a ramassée. Le nylon était fin, il a crissé. Elle a enfilé la blouse, a refermé les boutons.

Les mères transmettent des corps.

Son corps était plus jeune et plus féminin que celui de la mère, mais dans ce vêtement à la coupe droite, on aurait dit le même. On aurait dit aussi celui de la M'mé sur les photos anciennes.

La blouse disait d'où Jeanne venait et ce qu'elle serait plus tard. Elle disait ce que Jeanne avait été. Est-ce qu'on finit toujours par ressembler à ses parents ? Quoi qu'on fasse et tôt ou tard ? Est-ce qu'iné-vitablement, parce qu'on les a reçus bien avant la naissance et contre toute volonté, on en prend les plis, les tares, les mauvais gènes, et aussi les fortes beautés ?

Dans la vie de Jeanne, il y avait des choses qui étaient de l'ordre de la mère et de la M'mé, et sans doute des autres femmes avant. Jeanne appartenait à cet enchaînement. Elle était partie travailler en ville, mais qu'est-ce que ça avait changé ?

Du plat de la main, elle lissait le tissu sur elle, ce corps rural, le geste répétitif, à la manière des fous.

— Ça va ?

Jeanne a tourné la tête.

Du seuil de la porte, Emma la regardait.

Elle a écrit, dans la Mustang, quelques lignes derrière une carte qui représentait un pont sur la rivière Bourbre.

Lettre n° 16

Chère Marina,

Vous n'imaginez pas la joie que je ressens à l'idée de vous rencontrer bientôt peut-être.

J'ai essayé d'expliquer votre travail autour de moi, ce qui étonne, ce n'est pas ce que vous faites, mais que je m'y intéresse.

Vous avez raison de dire que la vie dépend de nous.

Elle a fait tourner le moteur.

Elle a fait marcher les essuie-glaces.

Était-il arrivé sur Teshima ? Elle a écouté l'enregistrement de son cœur. L'enregistrement durait vingt secondes. Elle s'était défendu de l'écouter trop souvent.

Un jour, on relève la tête et on se rend compte que les autres vivent, et que nous, on est arrêtés.

C'est pour ça qu'il était parti.

Pour rester en mouvement.

Interview de M. A., dans son loft de Manhattan, recopié sur la toute dernière page du carnet.

On dirait un monologue de théâtre.

J'ai eu beaucoup de chance dans ma vie, je suis entourée de gens merveilleux. Sans doute que j'aurais pu faire mieux, sans doute que, parfois, je n'ai pas fait les bonnes choses. Surtout en amour... En amour, je me suis bien plantée, jamais avec les hommes qu'il faut, mais dans l'ensemble, je m'en sors plutôt bien. Mais certains matins, j'aimerais bien me réveiller avec quelqu'un. Quelqu'un de tranquille, prendre le café avec, lire les journaux, faire des projets, parler de ce que l'on va faire le week-end, le film qu'on va aller voir... Je n'ai pas eu de chance en amour mais je crois que l'amour va repasser un de ces jours... La prochaine fois, il faudra que je vive l'histoire dans l'autre sens. Avec les hommes, c'est toujours l'amour fou au début. Ce n'est pas comme ça qu'il faut faire. Si je dois rencontrer quelqu'un, il faudra que ça commence tranquille. Pas de serments, pas de grande flamme, je veux un début banal, pas de mots d'amour, mais un amour qui grandira, il deviendra énorme, tellement énorme que j'en mourrai. Je veux mourir d'amour, comme la Callas... Mourir d'amour, c'est la seule mort acceptable. Je suis ringarde. Ceux qui me côtoient n'imaginent pas à quel point...

Après cela, il n'y a plus de pages dans le carnet.

Jeanne a changé la Mustang de place, elle l'a garée cent mètres plus loin, face au quai.

Elle a mis la radio, station Jazz, celle qu'il écoutait.

Suzanne est venue la rejoindre. Côté passager. Elle avait apporté des Carambar.

Les rails étaient de l'autre côté du capot.

Elles ont regardé passer les trains en lisant les conneries imprimées dans les Carambar.

Le cadet des Combe remontait le quai sur la roue arrière de son trop petit vélo. Il se servait de lui comme d'un cheval, bloquait la roue, tentait de rester immobile.

En passant, il a tourné la tête.

— Il m'a dit que tu lui donnais des sous?

— Normal, il surveille la bagnole.

Jeanne a touché le bras de Suzanne.

— Ne sois pas garce, garde-lui le vélo.

Suzanne n'a pas répondu.

Elle suivait des yeux le môme.

— T'as remarqué, au début, comme on fait attention à l'autre? Jef, je le bichonnais, j'en prenais soin, il me faisait des cadeaux, je me faisais jolie pour lui. Ça a pris du temps, mais à la fin, il ne me faisait plus marrer, je ne me donnais plus la peine de rien, je n'avais même plus envie de savoir ce qu'il faisait de ses journées.

Elle a descendu la vitre. L'air était un peu frais.

— C'est quand on ne bouge plus qu'on tombe.

Jeanne n'a pas su si Suzanne avait dit ça à cause de son histoire avec Jef, ou bien parce que le cadet des Combe ne parvenait pas à s'immobiliser sur son vélo.

Elle pensait souvent à lui. Pas tout le temps. Mais souvent. Elle attendait des nouvelles. Quelques mots. Une photo. Elle aurait pu lui écrire, lui demander si tout allait bien.

Rémy venait de rentrer.

Elle a éteint l'écran.

Il a posé sa main sur son épaule, un baiser dans ses cheveux.

— Fatiguée?

— Un peu.

— Le boulot?

— Le boulot, oui…

Il a caressé son épaule.

Sur le coin de la table, à côté du clavier, il a déposé un macaron. C'est vrai, on était mardi. Abricot ou mangue? Jeanne s'était un peu perdue dans la liste.

Rémy est passé dans le garage. Le rat blanc avait crevé, excès de stress. Rémy l'avait trouvé un matin, la tête entre les pattes, comme pour ne plus rien voir du monde alentour.

Le samedi, elle est allée en ville avec la Mustang. Elle s'est garée devant l'ancien Prisunic, elle a regardé les gens sur les trottoirs. Eux aussi l'ont regardée.

Elle a pensé qu'elle pourrait rester vivre dans l'auto, les gens taperaient à sa vitre, lui demanderaient ce qu'elle faisait, elle pourrait ouvrir la porte et permettre à certains de s'asseoir.

Suivraient alors des conversations magnifiques.

Il suffirait qu'elle apporte de la nourriture et un plaid pour la nuit.

Elle pourrait aussi téléphoner à Martin, lui dire qu'elle était là, dans sa Mustang.

On oublie que ça attend.

Mais ça attend.

Le père…, c'est ce qu'a dit Emma, au téléphone. Jeanne a cru qu'elle avait mal entendu. Elle a rectifié, La M'mé ?

Non, le père.

Le père, elle a répété, pas la M'mé.

— Tu as compris ?

Jeanne était au travail, avec un client.

Emma a donné les images, le père dans la brouette, tombé, les genoux à terre, les deux mains encore aux manches, serrées tellement fort que le docteur a eu du mal à les détacher. Il avait dû desserrer, les doigts, un par un. C'était le cœur qui avait lâché.

Jeanne n'était pas préparée. Elle a voulu savoir quand. À quelle heure exactement ? Qu'est-ce qu'elle faisait pendant que le père ?

— Tu aurais pu m'annoncer ça autrement.

— Comment tu voulais que je te l'annonce ?

Elle ne savait pas.

Personne ne sait annoncer.

Jeanne a raccroché. Et puis elle a rappelé Emma.

— Il faudra mettre une photo.

Et puis elle l'a rappelée encore.

— Tu es sûre? Tu es sûre qu'il…?

Lentement, elle s'est bougée.

M. Nicolas la regardait.

— Ça va?

Elle a fait oui avec la tête. Elle s'est excusée. Elle est allée boire un peu d'eau.

Elle a téléphoné à Rémy, Le père… C'est ce qu'elle lui a dit. Elle n'a pas pu dire, Le père est mort. Elle n'a pas pu dire cela.

Elle a dit, Est-ce que tu pourrais prévenir les filles?

Et puis, On se retrouve là-bas. Après…

Après le travail. Elle voulait finir la journée. Ce qui était commencé. Vivre, quelques heures encore, comme si rien ne s'était passé.

Elle est revenue au guichet. Sa main tremblait, elle tremblait tellement qu'elle a dû la coincer contre son ventre.

M. Nicolas lui a demandé si elle avait besoin de quelque chose. Elle a répondu que non, rien, tout allait bien.

Elle était assommée. Il fallait qu'elle travaille. Continuer, c'était la seule chose à faire. Elle a levé les yeux, a reçu le client suivant.

Des voitures étaient garées dans la cour. Les voisins, la famille. Dans la cuisine, pas de paroles fortes, seulement des chuchotements, et les regards qui se posaient sur la M'mé, pour signifier que la mort avait mal fauché, que ce n'était pas l'ordre des choses.

Sur la table, il y avait le journal du jour. Le couteau du père. La lame fine. Le manche, usé. La veste, au clou.

Près de la porte, les brodequins.

La casquette.

On avait étendu le père à l'étage, sur le lit étroit, dans la chambre parentale. On avait tiré les rideaux. Les volets entrebâillés laissaient filtrer un rai de lumière.

Le rai de lumière amenait au visage. La tête, sur l'oreiller. Les mains, reliées l'une dans l'autre.

Jeanne a fait le tour du lit. Ses chaussures faisaient grincer le parquet, elle les a ôtées pour ne plus entendre ce bruit.

Les yeux du père étaient fermés, paupières brunes, presque mauves. Jeanne avait grandi dans cette absence de regard. Elle venait de ce bourbier magnifique. Du doigt, elle a frôlé le drap.

Maintenant qu'il était mort, elle osait le regarder.

C'est comme si les morts se ressemblaient tous. Jeanne ne le reconnaissait pas. De lui, elle n'avait vu que le dehors, elle avait cru que le dedans était comme l'intérieur, que ses silences expliquaient ses sentiments. Elle n'avait jamais vu le dedans. Il ne l'avait pas laissée. Elle n'avait jamais imaginé. Jamais cherché.

Elle a regardé son front, ses mains.

On dit que les parents et les enfants, c'est fait pour s'aimer, eh bien ça ne se passe pas toujours comme ça, pas aussi bien.

Il ne l'avait jamais appelée par son prénom, il l'appelait *la fille* et elle l'appelait *le père*, et pour leur géographie, il disait *le pays*. Est-ce que, là où il était, il se souvenait encore un peu d'avant? De comment c'était beau ici, de comment c'était chez lui, la cour, le chemin, les prés, la nuit?

— Tu as les mêmes silences que lui.

La voix, rauque. Jeanne s'est retournée. La M'mé était dans l'ombre, Zoé contre ses jambes. On aurait dit deux corps soudés, le sang de l'une coulant dans l'autre.

La M'mé s'est mise à raconter, lentement, de cette voix de tombe, une histoire d'oiseau et de chant. Jeanne connaissait l'histoire. La M'mé racontait pour Zoé. Dans chaque vivant, homme ou bête, il y a un oiseau, a dit la M'mé, et cet oiseau a un chant. Il arrive que cet oiseau se taise ou se cache, il arrive aussi qu'il chante. Ce chant se voit dans les yeux, il apparaît sous la forme d'une part douce. Bien sûr, certains chants sont plus beaux que d'autres, mais il y en a un dans toutes les têtes et chacun doit faire en sorte que le chant de sa tête soit le plus beau possible. Il faut parfois une vie entière pour parvenir à faire chanter l'oiseau. Et il arrive qu'une vie n'y suffise pas. Parfois aussi, le chant est tellement pur que le monde entier s'arrête pour l'écouter. Entendre ce chant, a terminé la M'mé, c'est comme décrocher la lune.

Zoé a ri dans l'ombre, Décrocher la lune, ce n'est pas possible.

— C'est justement parce que certaines choses ne sont pas possibles qu'il faut essayer de les faire, a dit la M'mé.

Il y a eu un silence. Après ce silence, des froissements de robe, des mouvements dans l'obscurité.

La M'mé s'était levée, elle est sortie de la pièce.

Zoé l'a suivie.

Le lit était recouvert d'un dessus au crochet. Jeanne s'est assise au bord du lit. Ses yeux étaient tellement secs qu'ils brûlaient. Ils lui faisaient mal d'être si secs. Elle aurait aimé pleurer. Elle ne pouvait pas.

Les filles étaient arrivées, Jeanne entendait leurs voix. Elle regardait l'armoire. Derrière la porte, quatre étagères, la mère y rangeait les vêtements d'hiver. Deux piles de draps. Glissé sous l'une des piles, entre le dernier drap et le bois de l'étagère, il y avait le livret des enfants nés. Le frère était entre les pages. En tête de la lignée. Juste après la page qui disait le mariage. Trois courtes lignes, Jeanne n'avait plus besoin d'ouvrir le carnet, elle les connaissait par cœur, les lignes disaient le début et la fin, la naissance et la mort. Après, il y avait les pages pour les autres naissances, Jeanne, Emma, Sylvie et Isa. Pour le frère, il n'y avait pas de nom puisqu'il n'y avait pas eu de cri, aucune respiration.

Le père l'avait tellement regretté.

L'avait-il rejoint?

Jeanne aussi l'avait regretté, elle aurait aimé avoir un frère. Aurait-il été paysan comme dans le rêve du père? Aurait-il repris la ferme et tout ce qui va avec, les bêtes, les champs, les outils? À moins qu'il n'ait été un demeuré, un crétin, qu'il soit devenu tout autre chose que la volonté du père.

Jeanne fixait la porte de l'armoire derrière laquelle il y avait l'histoire. Sans qu'elle y ait prêté attention, sa main avait pris celle du père.

Petite, elle aimait en caresser le dessus sec et rêche. Un jour, elle avait arrêté.

Zoé a passé le reste de la journée à chercher le chant de l'oiseau au fond des yeux, ceux des cousines, de ses sœurs, de son père, de ses oncles. C'était un jeu idiot, Emma lui a dit d'arrêter, alors elle est revenue dans la chambre, elle a soulevé les paupières du mort, elle a cherché. Les yeux des morts n'ont plus de lumière, plus de chant. C'est le grand silence.

Zoé a filé dehors.

Elle est revenue un moment après, dans la cuisine, tout essoufflée, en criant qu'elle l'avait enfin trouvée, la part douce du chant! Dans les yeux de la vache et aussi dans ceux du chien. Mais dans la vache surtout! Qu'elle n'avait pas eu à attendre longtemps! Elle riait.

Folle de joie, elle était.

En Chine, les moines du couvent dorment dans les cimetières, sur les tombes, avec les morts. Ils dorment avec ceux qui viennent de mourir et puis avec ceux qui se décomposent, avec ceux dont il ne reste que les os, et aussi avec ceux qui tombent en poussière. Ils font ça pour se familiariser à cet autre état de la vie et regarder en face ce qui va leur arriver. Il paraît que ça les aide à avoir moins peur, mais c'est de la psychologie à deux balles.

Le soir, Jeanne s'est fait couler un bain brûlant, gorgé de sel et de bicarbonate.

Le matin, au réveil, elle n'a pas eu la mémoire de la mort du père.

Et puis la mémoire est revenue.

On a enterré le père. Les voisins sont tous venus, même celui d'en face, le tueur d'hirondelles, et les autres, les chasseurs, les deux mégères, les pieuses qui habitaient un village plus haut. Sylvie et Isa étaient là, sans leurs maris, arrivées en train, l'une de Paris et l'autre de Bordeaux.

Quelqu'un avait allumé des bougies devant la porte. Des bougies aussi sur les marches de l'escalier.

À l'église, il y a eu des fleurs en plastique et des dons pour la réfection du toit. Emma a lu un poème. Sylvie et Isa ont parlé du père, des mots pleins d'émotion qui ont résonné dans la petite église

Jeanne n'a pas dit un mot. On lui a demandé, Tu veux dire quelque chose ?

Rien.

Elle aurait voulu être seule.

Ils se sont tous avancés en ligne, pour bénir le père. Suzanne était venue. Elle a fait un signe.

C'était l'usage d'embrasser la famille pour présenter sa tristesse. Jeanne ne voulait pas, ni qu'on l'embrasse ni qu'on la touche, ni les cousins, ni personne.

Zoé s'était mise à l'écart, sous le chemin de croix, elle regardait entre ses pieds, des fourmis en colonnes, elle leur crachait dessus, un long filet de bave qui les recouvrait.

Au retour, dans la cuisine, sur la table, il y avait des brioches et du cidre. La mère a sorti les verres à pied et deux petits cygnes en porcelaine pleins de confiture.

On ne savait pas trop comment se comporter après avoir laissé le père là-bas.

En bout de table, il y avait encore sa place, ses brodequins dans l'entrée, avec la terre des derniers pas collée sous la semelle.

La mort n'aime pas les rires, elle n'aime pas le vivant. La mère a coupé des parts larges dans les brioches gonflées de pralines.

— Il faut manger. Il n'aurait pas voulu qu'on soit triste.

Elle a distribué. On a servi le cidre et de la gnôle adoucie de miel. De la gnôle chaude, dans des petits verres transparents.

La M'mé s'est gavée de brioches, elle a bu la gnôle. Elle en aurait bu encore si elle avait pu.

— C'est normal, la mort, a dit la M'mé en agrippant le bras de Jeanne.

Sa main, glacée.

— Tout ce qui est vivant connaît sa fin. Tu te rappelles, saint Augustin ?

— Je me rappelle, M'mé.

— Dis-le.

— "Les morts sont des invisibles, ils ne sont pas des absents."

La M'mé a hoché la tête. Elle a lâché le bras. L'alcool chaud l'a endormie à la table.

Jeanne a retiré les assiettes proches de ses bras.

Sylvie et Isa sont reparties.

Dans la cour, il restait la brouette abandonnée, là où le père était tombé. Personne n'avait osé la bouger. Le chien était couché contre la roue.

Jeanne les voyait, le chien et la brouette, à travers le carreau sale de la petite fenêtre.

Zoé a pris la place du père, en bout de table, elle s'est autorisé cela, l'a osé, se juchant sur sa chaise, en dehors des convenances et d'une manière tellement naturelle qu'à un moment elle était là sans que personne y trouve à dire.

Elle écrivait en grand, sur une feuille, son prénom *Zoé*, avec un crayon bleu.

Le bracelet à son poignet avait commencé à se dénouer. Quelques fils.

Jeanne s'est assise à côté d'elle.

Elle a écrit. Avec elle. Leurs deux prénoms attachés, *ZoéetJeanne*, chacune sur une feuille et le plus lentement possible, c'était à celle qui prendrait le plus de temps, qui serait la plus douée de lenteur.

Quand Jeanne levait les yeux, elle croisait ceux de Zoé. Zoé écrivait les deux prénoms qui tenaient toute sa page. Le crayon ne devait pas s'immobiliser, l'enjeu était simple, elles l'avaient décidé sans le dire, d'un regard, d'être au plus ralenti du trait, du trait et du temps, il n'y aurait ni gagnante ni perdante, simplement le partage de cette commune lenteur.

— Tu es complètement barrée.

C'est le mari d'Emma qui lui a dit ça.

Tout le monde était parti. Même Rémy. Même les filles.

Le père était mort.

Et elles faisaient ça.

Les brodequins du père avaient disparu, un cousin de Grenoble les avait emportés. Des voisins, au portail, causaient encore avec la mère.

— Il va vraiment le faire ? a demandé Zoé.

Jeanne a levé la tête.

— De quoi tu parles ?

Zoé a mis la main sur son cœur. Le geste parlait de Martin, de sa promesse, des battements, de Teshima.

— Il va le faire.

— Quand ?

— Je ne sais pas… mais il le fera. Et il nous le dira.

Malgré sa fatigue, et parce que c'était la seule chose qu'elle se sentait encore capable de faire, Jeanne a enfilé les gants et elle a lavé les verres.

Avant de partir, et comme à l'habitude, elle a glissé sous le compotier quelques billets pour aider la mère.

Elle a hésité, un jour comme celui-là.

La nuit suivante, elle a fait un cauchemar, elle était dans une grande maison, un couloir, elle passait une porte, qui se refermait derrière elle. Devant, il s'en ouvrait une autre, mais qui était plus petite. Elle continuait, mais les autres portes, toutes celles qui venaient après, étaient toujours plus petites.

À la fin, elle n'arrivait plus à passer.

Elle s'est réveillée en hurlant.

Le lendemain, elle est allée au cimetière toute seule. Elle voulait voir la tombe sans personne. Le père était là. Il aimait la terre et il était au fond. Elle a senti le choc. Elle était en plein dedans. C'était terrible, plus qu'elle ne l'avait imaginé.

Tout devient terre, même le bois le plus dur, même les cornes des bêtes. Il deviendrait cela, maintenant, à son tour. Il avait rejoint le fils.

Elle aussi, un jour.

Et tous ceux qu'elle aime. Qu'elle a aimés.

Elle s'est assise sur la dalle.

Est-ce qu'il y a quelque chose après? Elle a regardé le ciel. Elle l'a interrogé. Le ciel ne répond pas.

Le ciel est encore plus silencieux que le père.

Elle a posé sa main sur la terre. Voilà ce qui attend, et on fait comme si ça n'existait pas. On continue, presque gaiement, on croit que c'est toujours chez les autres, l'irrémédiable, dans les autres maisons, mais un jour c'est nous que ça frappe, c'est quelqu'un qu'on connaît, qui était là et qui était un peu nous et qui ne sera plus jamais là, ni ici, ni nulle part. Il n'y a plus d'endroit où le chercher, aucune ville, aucune grange. Ce que l'on croyait ne

jamais perdre est à jamais perdu. La voix, les gestes.
Toutes ces choses que l'autre faisait. À la place, il
reste un vide immense.

Et on est seul.

Alors on se demande si on aurait pu faire mieux.
Si on a assez aimé. Si on s'est assez occupé.

La dernière fois qu'elle a vu le père, il changeait
les piles du transistor. Ses doigts étaient trop gros
pour les toutes petites piles. Jeanne avait dû l'aider.
La réalité du père mort l'a soudain submergée, elle
a éclaté en sanglots, sur la pierre, effondrée dans
ce cimetière, au milieu des croix, elle a pleuré sur
lui et sur tout ce qu'ils ne s'étaient pas dit, des sanglots d'inconsolable, les mains dans la terre, cette
terre qu'il aimait tant.

Elle a énoncé devant la tombe du père tout ce
qu'elle n'avait jamais osé dire devant le père vivant.

Elle était montée tout en haut du pré, elle regardait la maison avec, autour, les bois, la rivière. Des frontières invisibles, tracées par elle. Les terres qui nous voient grandir sont des matrices intimes, les autres, des terres d'attachement.

Elle sentait la lumière sur sa peau. Elle sentait la vie des arbres, celle de la rivière, des oiseaux, des fleurs et des fruits, des abeilles. À quoi avait ressemblé la dernière journée du père ? Sa dernière heure ? Quelle avait été sa dernière pensée ? La dernière chose vue ? Avait-il eu peur ? On a tous peur.

Un jour, Jeanne l'avait surpris devant un film de Laurel et Hardy, il riait aux éclats, elle l'avait regardé comme s'il était un inconnu.

Le père d'Abramović avait été résistant, un héros de guerre, un fou autoritaire, il ne s'était jamais occupé d'elle, et pourtant, quand il est mort, elle avait éprouvé ce besoin de faire quelque chose de grand pour lui. Elle est montée sur un cheval et elle est restée immobile en plein vent, un vent de face, qu'elle prenait dans les yeux, et qui faisait claquer le grand drapeau qu'elle tenait à la main. Elle est restée, jusqu'à ne plus pouvoir. Après des heures, à bout de forces, elle est tombée. Elle avait résisté comme il l'avait fait, avec courage, elle avait rendu hommage parce qu'il faut bien faire quelque chose pour supporter l'effroyable chagrin.

Jeanne s'est assise au pied du plus ancien des pommiers. Son cordon de vie était enterré là, entre les racines affleurantes de l'arbre, le père avait fait cela, il l'avait liée à cette terre à tout jamais. C'est de ça qu'elle était née. De cette beauté folle. Jeanne n'avait pas enterré le cordon de ses filles mais elle avait été fossoyeuse d'une mèche de leurs cheveux, avec leurs premières rognures d'ongles, dans le silence immobile de cette géographie particulière, elle avait creusé un trou avec ses mains et sans le dire à personne.

Ce monde était le monde de Jeanne. Il était fait de ces choses. Elle regardait les champs, la maison petite. À ses pieds poussaient des herbes coriaces.

Elle était immobile. Confondue. Comme si elle était un arbre ou une pierre.

Comme si elle n'avait pas plus d'importance qu'un arbre ou qu'une pierre.

Comme si elle n'était pas davantage qu'une de ces pierres.

Mais qu'elle était cela.

Jeanne s'est réveillée en pleine nuit pour dire ça à Rémy, Mon père est mort, tu te rends compte?! Elle a répété, comme si Rémy ne le savait pas.

Rémy s'est rendormi.

Pas Jeanne.

Le père l'avait vue grandir, il l'avait vue naître et faire ses pas dans la cour, découvrir la terre et les bêtes, il faisait partie de ceux qui la connaissaient le plus, et il était parti. Il laissait Jeanne toute seule. Rémy l'aimait, mais il ne l'avait pas vue grandir.

Le père voulait voir la mer. C'était son rêve. Il avait toujours remis à plus tard. Il ne faut pas reporter, les projets, les envies, celles de faire ou d'aller voir.

Jeanne voulait faire quelque chose pour le père. Pour lui, et pour elle.

Elle tournait tout ça dans sa tête. Rémy a fini par se réveiller à nouveau. Elle était assise dans le lit. Il a regardé l'heure. 3 heures du matin. Ils travaillaient le lendemain.

— Tu ne voudrais pas essayer de dormir un peu?

— Je crois que je ne vais pas très bien.

Elle s'est levée.

Elle a appelé le frère de Rémy. Où va l'âme des morts ? Qu'est-ce qu'il y a pour elles, après ? Est-ce que ça fait des étoiles ? Il ne savait pas répondre à tout ce qu'elle lui demandait. Il disait que, si on pouvait, il fallait croire, en Dieu ou à autre chose. Est-ce qu'il y a un enfer, un paradis ? C'est ici, le paradis, Jeanne, il ne faut pas vivre comme si c'était ailleurs. Et peut-être que le ciel répond, mais qu'on ne sait pas l'entendre. Et pour les étoiles ? Quoi, les étoiles ? Est-ce qu'il y en a une nouvelle pour chaque mort ? Et pourquoi on est si seul ? On n'est pas tout seul, il y a des ponts, Jeanne, des ponts qu'on ne voit pas mais qui relient les gens, certains, avec d'autres, même avec des gens qu'on ne connaît pas. Et l'âme des salauds, est-ce que ça fait aussi des étoiles ?

Ton père était un taiseux, Jeanne, ce n'était pas un salaud.

Le soleil se couchait. La lumière était rose, les arbres noirs.

Elle était là depuis un long moment, toute seule, dans la Mustang.

Suzanne est venue la rejoindre. Elle s'est laissée tomber sur le siège.

— T'as vu comme c'est beau! elle a dit en montrant le ciel. Faudrait faire gaffe à pas trop esquinter tout ça.

Elle essayait de rester calme mais Jef l'emmerdait toujours. Il passait des petites annonces pour la maison. Elle, elle cherchait du boulot, un job de fin de journée, à ajouter à ses heures de service à l'hôtel.

Elle a baissé la vitre pour respirer l'air du dehors.

— Jef, il disait qu'il ne faut jamais penser en termes de mérite, mais moi, je me dis que des fois on déconne avec la vie en jouant les éternelles.

Elle a rabaissé le pare-soleil, a regardé son visage dans le petit miroir. Elle cherchait des poils à son menton.

— Le Tête Plate aussi, il me fait réfléchir. Comme quoi… Il dit que sa mère l'aime pas, comme s'il y avait une obligation à l'amour. Pareil pour les vies, il y en a qui laissent des traces et les autres pas. Et celles qui laissent des traces ne sont pas plus importantes que les autres. Et c'est pas vrai qu'on recommence à zéro. On ne recommence rien, on continue, comme on peut et du mieux qu'on peut. On peut juste essayer d'être meilleure. Faire de son mieux, oui, ça, on peut. T'as pas une pince?

Elle avait repéré quelques poils.

Jeanne n'en avait pas.

Suzanne continuait de scruter sa peau dans la lumière. Elle essayait de s'épiler avec les doigts.

— Les regrets, c'est le pire. Je suis sûre qu'on n'oublie pas les belles choses quand on est de l'autre côté. Il reste forcément des trucs dans la mémoire, les abeilles qui butinent, les bêtes avec leurs petits, les chemins, tous les machins simples qu'on faisait. C'est les petits riens sans importance qui font les vies superbes. Les bonnes copines aussi, hein… Qu'est-ce que tu as?

— Rien.

— Tu chiales? Ben ma Jeanne? C'est ce que j'ai dit?

— Arrête!

— C'est triste?

Jeanne a secoué la tête.

— Non, c'est beau.

— Et ce qui est beau, ça te fait chialer toi?

Elle a pris Jeanne contre elle. Elle l'a bercée.

— Faut emmagasiner. Toutes les choses belles. Quand on va mourir, c'est ça qui nous aidera à passer de l'autre côté. Les choses belles. On se souviendra d'elles. C'est con ce que je vais te dire mais moi, je me souviendrai de Jef, la façon dont il baisait. Putain, il baisait bien, Jef… Je penserai à tout ça, à la baise de Jef, et au reste aussi, je ne penserai pas aux saloperies, non, ça je n'y penserai pas, seulement aux choses belles, et je passerai tranquille.

— Tais-toi, Suzanne.

— Je penserai à toi aussi.

— Tais-toi, s'il te plaît…

Suzanne a serré Jeanne.

— T'es trop sensible, toi.

Une carte postale était arrivée, avec le reste du courrier. Posée sur la table. Côté image. Adressée à elle et à Rémy. Une vue de l'île, prise d'avion, et le nom de *Teshima* imprimé dans l'eau bleue.

Il avait écrit, *Vos cœurs battent sur l'île.*

La carte avait mis dix jours pour arriver. Tout de suite, Jeanne a téléphoné à Zoé.

— Il l'a fait !

Il y a eu un silence au bout du fil. La respiration émue de Zoé.

— Tu as entendu ? Il l'a fait ! Ton cœur bat sur l'île !

Zoé a raccroché.

Et puis elle a rappelé, tout de suite après.

Elle a dit : Je vais faire du théâtre dans ma nouvelle école.

Elle avait presque crié. Comme si cela était retenu en elle. Étouffé.

Comme s'il y avait un lien entre Teshima et cela.

Comme si elle avait attendu Teshima.

Une deuxième carte est arrivée quelques jours plus tard. Il avait choisi, pour image, un palais au Japon, la villa Katsura.

Il écrivait que ce palais appartenait à un empereur qui avait fait déposer un tas de sable blanc dans son jardin. L'empereur aimait plus que tout regarder le soleil se coucher sur ce tas. Comme il ne voulait pas s'habituer à cette beauté, il ne venait à la villa que deux fois par an.

En PS : Il semble que le temps ici passe plus lentement qu'ailleurs. J'espère que vous allez bien.

La carte était adressée à Rémy et à Jeanne.

La mère avait lavé les derniers habits du père, elle les avait mis à sécher sur le fil. Elle avait laissé les pantoufles près de l'entrée, comme s'il devait revenir d'un moment à l'autre. Qu'à la nuit tombée, il serait là.

Jeanne ne savait plus toucher aux affaircs du père. Sa veste bleue. Dehors, l'établi, ses outils. C'est à peine si elle osait les regarder.

Elle a sifflé le chien et elle a contourné la maison.

La M'mé disait que le père était allé retrouver Dieu. Jeanne ne croyait pas en Dieu mais elle aimait les églises et elle pensait que ce serait bien que Dieu existe. Ou alors il faudrait se comporter comme s'il existait. C'est peut-être ce qu'il veut. Qu'on fasse tout pour qu'il nous remarque. Vouloir être remarqué par Dieu, c'est présomptueux. Le frère de Rémy dit qu'il existe peut-être et qu'il nous a oubliés, qu'après la Création il est passé à autre chose. C'est une hypothèse.

Jeanne a longé le mur.

Le lieu était entouré de buissons sauvages, de mousses et d'orties épaisses. La terre y avait une odeur plus puissante qu'ailleurs, à cause de tout ce qu'il y avait au-dessous. Le fumier infiltré coulait dans la pente.

Zoé cueillait des fleurs, des grandes tiges de talus qui prenaient leur force dans le purin rouge et qu'elle rassemblait dans ses bras. Elle en avait mis plein l'étable, des brassées entières, pour la vache, elle pensait que ça lui faisait plaisir.

Que la vache aimait la beauté.

La vache était encore dans le pré, elle aurait le plaisir des fleurs quand elle rentrerait.

La vie continuait.

Jeanne a pris dans la cave quelques pommes qui serviraient à la compote, des pommes que le père avait ramassées. Elle est revenue dans la cour, a lavé les fruits à l'eau froide du bassin et les a rapportés dans la maison.

Dans la cuisine, la mère tricotait pour l'enfant du ventre avec des pelotes achetées sur catalogue. Dans le silence, Jeanne écoutait le cliquetis des aiguilles. Emma était assise près de la fenêtre, Zoé était blottie dans ses bras, la tête contre les seins lourds, elle regardait le ventre. Jeanne aussi regardait. Un enfant que le père ne connaîtrait pas. Fille ou garçon, ça n'avait plus d'importance.

D'une main, Emma lissait les cheveux de Zoé. L'autre main était posée sur son ventre.

— À quoi tu penses ? a demandé Emma.

Jeanne a embrassé la scène, cette maternité aux deux petits, l'une déjà née et l'autre à venir.

— Je pense que tu as bien fait de faire cet enfant.

Jeanne a croisé les yeux de sa sœur. Il y a eu un instant silencieux. Emma a lentement tourné la tête, un mouvement pour toute explication qui a emmené Jeanne jusqu'aux mains rêches de la mère, le tricot, les aiguilles, le fil. Et alors? Le regard insistant d'Emma est resté sur la mère.

Là, dans le giron creusé par les cuisses, sur le tissu sombre de la robe, comme pour enfin rompre la malédiction des fendues, trop tard pour le père mais là cependant, après toutes les laines roses, il y avait enfin, pour la première fois tricotée, une pelote d'un bleu flamboyant.

Et c'est ce bleu, que le regard montrait.

Il lui a écrit un mail.

Et puis un autre.

Il louait une chambre, dans le petit port de Karato. Un lit, une petite table et une chaise en bois, il n'avait que ça. Une pièce unique. Un peu vétuste. Ça ne le dérangeait pas.

Sa logeuse s'appelait Brega, c'était une vieille Japonaise qui faisait très bien la cuisine. Le port était très animé, avec le marché tous les matins, et des vendeurs de bricoles qui vantaient leur camelote sous sa fenêtre.

Il lui racontait son quotidien sur Teshima.

Dans la cour arrière, sa logeuse gardait des tonneaux en fer, ça puait le gasoil. Elle avait un petit restaurant. Il prenait tous ses repas chez elle, sa spécialité était la soupe épaisse, les raviolis bouillis ou un mélange d'agneau et de nouilles.

Il lui a envoyé une photo, un village de pêcheurs, des maisons en bois, la mer. C'était l'endroit le plus splendide qu'il ait jamais vu.

Elle aimait recevoir ses mails mais elle n'y répondait pas.

Il disait que les ciels étaient immenses. Il restait presque tout le temps sur l'île. Il réfléchissait, il lisait. Il s'habituait peu à peu au lieu.

Il écrivait, J'espère t'y voir un jour.

Fin du jour. Le 18 h 01 est arrivé. Jeanne était dans la Mustang.

Suzanne a déboulé comme il s'immobilisait. Elle était furieuse. Elle avait trouvé des visiteurs dans sa cour, avec Jef qui montrait la maison. Des gens très intéressés. Intéressés au point de l'acheter.

Elle avait pété les plombs. Lui aussi.

Elle a tout raconté dans les détails.

Et puis elle s'est calmée.

Il fallait qu'elle se fasse à l'idée. Elle a parlé de ça. D'après.

Elle a ôté ses chaussures, elle s'est massé les pieds.

Le 18 h 01 était à quai, il ne repartait pas. Bloqué en gare. C'était fréquent, les problèmes, sur cette ligne.

Elle a vu la boîte sous le siège. Elle l'a retirée. Elle a soulevé le couvercle. À l'intérieur, il y avait les cartes postales, et tout le reste, tout ce que Jeanne avait ramassé derrière Martin.

Suzanne a refermé la boîte. Elle l'a remise à sa place. Elle n'a pas posé de questions. À la ferme non plus, on ne parlait pas de certaines choses, comme si les taire les empêchait d'exister.

Elles ont regardé les gens dans les wagons.

Le pare-brise faisait écran, ils étaient un peu comme les acteurs d'un film muet.

— Un type me téléphone tous les soirs, a confié Suzanne.

— Quel type?

— Je ne sais pas.

— Tu ne le connais pas?

— Non. Ça a commencé par une erreur de numéro, depuis, il m'appelle à 20 heures.

— Tu ne devrais pas.

— Quoi?

— Lui parler. C'est peut-être un dingue.

Les passagers ramassaient leurs sacs, quittaient leurs sièges. Ils sont tous descendus sur le quai. C'étaient des gens qui travaillaient à Lyon, il n'y avait pas de valises.

Un haut-parleur grésillait sans rien annoncer. Quelqu'un est passé près de la voiture. Suzanne lui a agrippé le bras, Qu'est-ce qui se passe? Il n'en savait rien.

Parmi les passagers à quai, Jeanne a reconnu des visages familiers, le professeur avec sa sacoche, c'était la première fois qu'elle le voyait en entier, il était encore plus élégant qu'elle ne l'avait imaginé.

Il s'est assis sur un banc, un peu à l'écart.

Tous les passagers étaient descendus, les portes se sont refermées. Le chef de gare a sifflé pour qu'ils se reculent tous du quai. Le train suivant est apparu dans le virage, il avançait lentement, les phares allumés, il a ralenti encore jusqu'à s'immobiliser, sur les mêmes rails, derrière le premier.

Jeanne a vu la dame au chapeau bleu, elle était derrière sa vitre.

Sans doute qu'on ferait monter tout le monde dans ce second train, cela arrivait parfois.

Des semaines qu'il était parti. Elle lui avait dit, Pas trop de mails. Les mails demandent des réponses. Les exigent presque.

Elle a repris sa vie.

Elle n'avait pas souhaité cette histoire et cette histoire était arrivée.

Il envoyait quelques lignes, sur des cartes qu'il continuait d'adresser à eux deux, Rémy et Jeanne. Des cartes, sans enveloppe, qui mettaient un temps infini à arriver. Jeanne aimait ce temps. Ce décalage entre l'envoi et la réception ressemblait à la poésie des étoiles dont la brillance nous parvient des années plus tard, on les voit parfois alors qu'elles sont déjà mortes.

Les cartes restaient un jour ou deux sur la table de la cuisine. Après ce temps, Jeanne les récupérait. Rémy ne demandait pas ce qu'elle en faisait.

Martin avait visité le Japon et d'autres îles, et il se sentait bien à Teshima. Il avait trouvé un job, des peintures murales à restaurer dans un palais très ancien, à Okayama, une ville un peu plus au nord.

Sur les cartes, il écrivait, *Je pense à vous souvent.* Il disait *vous*.

Elle lisait, *toi*. Je pense à toi.

Rémy regardait les paysages des cartes, il disait, Il a la belle vie, celui-là…

Il écrivait.

Elle ne lui répondait pas.

Il avait besoin quelquefois de se rendre dans la cabane de Boltanski. Il prenait alors un vélo et remontait jusqu'au milieu de l'île. L'endroit ressemble à une grotte, une ampoule pend du plafond et pulse au rythme des battements. Des cœurs de milliers de gens. Il disait qu'il ressentait, à écouter ses pulsations, un moment d'émotion à nul autre pareil.

Il a envoyé une photo de la cabane.

Il lui a donné le nom de sa logeuse, sur le petit port de Karato, île de Teshima.

Ce nom, ce port, c'était presque une invite.

Jeanne n'attendait pas ses cartes. Les cartes arrivaient. Elle en avait une dizaine déjà. Des paysages qu'il avait choisis pour elle, en pensant à elle, avec le timbre acheté, et qu'il avait rapportés chez lui, posés sur la table.

Et ensuite les mots.

Sur l'une, il a écrit : *Le jour se lève, le soleil trace une ligne rose sur le mur blanc. Dans huit heures, ce même soleil se lèvera pour vous.*

Elle se servait des cartes comme marque-page. Parfois, il y avait un temps long entre deux cartes.

Parfois aussi, il envoyait des mails : Le ciel a déjà changé dix fois de couleur depuis que je me suis levé.

Elle rangeait les cartes dans la boîte.
Elle glissait la boîte sous le siège.
Elle refermait la Mustang.

Un soir, avec Rémy, ils sont allés au cinéma. Sur la vitre de la caisse, un papier était scotché, on cherchait une ouvreuse. Jeanne a décroché le papier. Elle l'a rapporté à Suzanne.

Suzanne a eu le job. À l'essai pour trois mois. Les horaires n'étaient pas faciles mais ça lui permettrait de voir tous les films.

Les filles vivaient à présent en couple avec les garçons. Elles avaient chacune un studio dans le 6ᵉ, à Lyon. Zoé faisait du théâtre dans sa nouvelle école, et elle aimait ça. Son bracelet s'était détaché. Jeanne ne savait pas si elle avait fait un vœu.

Rémy a enfin réussi à sortir son brochet. Une fin d'après-midi. Il a fait ce qu'il avait promis pour les vœux du Nouvel An, sortir un brochet du lac et le manger pour Noël. Il réfléchissait aux travaux qu'il allait entreprendre l'année suivante. Le Tête Plate a pu acheter le vélo de Jef.

Emma a eu son bébé, un garçon qu'elle a appelé Victor. Suzanne continuait de recevoir un coup de téléphone tous les soirs.

Depuis la mort du père, Jeanne parlait davantage avec le frère de Rémy.

C'est drôle, la vie.

C'était un foulard neuf, avec des fleurs imprimées. Rémy l'a offert à Jeanne pour remplacer celui qui était déchiré. Il a souhaité une belle année à tous, il a dit que c'était maintenant, le bonheur, qu'il ne fallait pas l'oublier.

Qu'entre la naissance et la mort, le temps de vie est dérisoire, mais que le dérisoire n'empêche pas d'être heureux.

Il avait les yeux inhabituellement brillants.

Jeanne est sortie dans le jardin.

Le jour devait se lever sur Teshima.

Elle l'a appelé. Il y a eu deux sonneries et son appel a basculé sur la messagerie. Elle lui a souhaité une belle année. Elle lui a dit qu'il était un peu plus de minuit, elle était dans le jardin, la neige était tombée, les filles étaient là, avec les garçons, ils avaient fêté tous ensemble le passage au Nouvel An.

Elle lui a parlé. Longtemps. Trop. À la fin, les mots ne s'enregistraient plus, ils se sont perdus dans le vide de son répondeur saturé.

Elle a raccroché. Elle s'apprêtait à revenir vers la maison quand elle a perçu des mouvements dans les herbes, une ombre est passée, rousse, craintive, dans l'angle du jardin, là où il y avait le bac. L'ombre s'avançait sur la neige. C'était le renard.

De le voir, en ce premier jour. Ses yeux marron orangé étaient fendus d'une pupille sombre.

Il s'est mis en arrêt quelques secondes et il a fixé Jeanne. C'était la première fois qu'il se laissait regarder ainsi, d'aussi près.

Il a ensuite contourné le bac, et longuement, le dos tourné, en confiance, il a bu.

La nouvelle est arrivée quelques jours plus tard, sous la forme d'un mail. Abramović était de passage à Paris, elle proposait une rencontre à tous les souscripteurs qui avaient contribué à l'ouverture de son école à Hudson. Elle leur ouvrirait ses bras. Ce serait leur récompense, une étreinte de Marina.

Ça se passerait dans une galerie du Marais.

Suivaient le jour, l'heure.

— Je vais prendre deux RTT alors…

Il était en train de couper des tranches fines d'un radis noir. Elle lui avait dit qu'elle partait deux jours à Paris. Tout de suite, il a voulu l'accompagner, c'est ce qu'il a dit, Je prends deux RTT et je viens avec toi. En cinq minutes, il a tiré des plans sur la comète, il a tout organisé, l'heure de départ, le trajet, ce qu'ils pourraient visiter, la tour Eiffel, Montmartre, Pigalle.

— J'ai besoin d'être seule pour vivre ça.

Il s'est arrêté. Il l'a regardée.

— Tu ne veux pas que je vienne avec toi?

Jeanne a fait non avec la tête.

Ça s'est tendu. Sans doute que Rémy pensait qu'elle allait rire, dire, Je plaisantais, bien sûr que tu viens, comment je pourrais aller à Paris sans toi?

Elle a dit, Ce n'est pas contre toi mais j'ai besoin d'un peu de solitude.

Elle a attendu que la terre s'ouvre et l'engloutisse.

Mais la terre ne s'est pas ouverte.

Rémy a coupé quelques tranches de radis. Le geste, un peu brutal.

Le bruit de la lame, sur la planche.

— Moi, je n'ai jamais envie de partir sans toi.

Sa voix était blanche. Il a ajouté qu'il n'avait pas besoin de ça. Partir sans elle. Être sans elle. Qu'il aimerait ne jamais la quitter, pas une seule minute.

— Je suis malheureux quand tu n'es pas là.

Il avait mal.

Jeanne s'est calée contre la table. Pourquoi c'est toujours aux femmes de se sacrifier. Pourquoi c'est toujours à elles qu'on demande d'être faibles, comme si elles étaient nées pour ça.

— Je ne veux pas renoncer.

— Je ne te demande pas de renoncer mais de pouvoir t'accompagner.

Il a posé le saladier sur la table.

— Pourquoi tu es comme ça ?

— Je suis comment ?

— Tu décides les choses sans m'en parler.

— Je t'en parle.

Il est revenu vers l'évier, avec un mouvement d'évitement, pour ne pas la toucher.

Elle était calme.

Pas lui.

— Tu m'en parles quand tu as décidé.

Jeanne est passée dans le salon. Et puis sur la terrasse.

Elle a arrosé les dernières fleurs qui restaient de l'été.

Quand elle est revenue dans la cuisine, Rémy n'était plus là, il n'était pas non plus dans le salon ni dans le garage. Il avait pris sa veste.

Elle l'a aperçu sur le trottoir, les mains dans les poches, il s'en allait en direction de la ville.

*Ici, on apprend aux enfants à être libres et heureux,
en plus de tout le reste. On leur apprend aussi à ne pas
avoir peur. On fait du bonheur une matière à part
entière, avant tout, une matière sensible et non notée.*
Il avait envoyé ce mail. Accompagné d'une photo.
Des gosses sur le port d'Ieura.

Il écrivait, *Ici, on dit que tout se volatilise et on
cherche à se comporter au mieux devant l'inéluctable.*

*Tous les jours, des petites choses sont sous mes yeux,
des gosses qui jouent, des chiens, j'essaie de les voir.*

Il écrivait, *La douleur, c'est secret.
Je vis tranquillement. Souvent, je regarde la mer.*

Il la déchirait.
Jeanne a essuyé ses larmes.
Elle le sait, il y a les grandes et les petites choses,
les grandes modifient profondément nos vies, les
petites ne font que les effleurer, mais les petites nous
aident à attendre les grandes. Elles nous aident à
les atteindre.

Rémy est rentré tard. Elle était au lit. Il est monté. Elle a fait semblant de dormir. Elle a entendu grincer la porte et marcher dans la chambre. Il s'est déshabillé dans le noir. Il s'est allongé contre elle, dans son dos. Ses bras noués.

Elle n'a pas bougé.

Il l'a étreinte fort.

— On est quand même très différents, toi et moi.

Elle s'est retournée. Il était fatigué. Peut-être aussi qu'il avait bu. Des rides qu'elle n'avait jamais remarquées plissaient le coin de ses yeux.

Elle a posé une main sur son visage.

— Pas très. Mais un peu.

— Dedans…

— La différence n'empêche pas d'aimer.

Derrière lui, par la fenêtre, la lune était immense. Dans la lumière du lampadaire, on aurait dit qu'il pleuvait de l'or.

J'ai toujours su que tu étais forte, ma petite fille, c'est ce que lui a dit la M'mé avant son départ.

Elle est arrivée à Paris en fin de journée. Il pleuvait. Une pluie épaisse qui ressemblait à de la neige fondue. Elle avait réservé une chambre dans un hôtel près de la gare. Elle aurait pu dormir chez Isa.

Elle a préféré être seule.

Elle a dîné dans sa chambre d'hôtel, d'un plateau-repas, en regardant un film de Charlie Chaplin. Elle a ri. Elle a dû rire trop fort parce qu'à un moment, quelqu'un a cogné contre la cloison dans la chambre à côté.

Le lendemain, elle a pris un taxi et elle a montré au chauffeur son carton d'invitation, l'adresse de la galerie, en lettres dorées, dans le Marais, rue Vieille-du-Temple.

Il y avait du monde, une vingtaine de personnes déjà. Un homme vêtu de blanc a récupéré son carton. Il lui a proposé quelque chose à boire.

Sur les tables, des coupes en céramique contenaient des fruits et des pétales. Contre les murs, il y avait des photos d'Abramović. Des vidéos passaient en boucle.

Deux salles. Abramović était dans la deuxième. Jeanne l'a entraperçue. Elle prenait dans ses bras ceux qui venaient à elle.

Il fallait attendre son tour pour pénétrer dans cette zone, avec elle. Jeanne a attendu. Sans impatience. Une femme est sortie bouleversée. Un homme a pris sa place.

Jeanne a regardé les photos aux murs.

Elle a feuilleté les livres.

Elle avait sans doute gâché des choses. Manqué de beaux moments. Perdu du temps. Des jours. Sans doute aussi qu'elle n'avait pas osé tout ce qu'elle aurait dû. Sans doute qu'elle avait été entravée.

Mais elle était là.

Un jeune garçon était assis sur une chaise, il pleurait sans faire de bruit. Les larmes coulaient de lui. Il ne les séchait pas.

Personne ne se parlait. Ils étaient tous réunis, parce qu'ils avaient participé au même projet.

Et Abramović, en juste retour, les serrait contre elle, les uns après les autres.

Le gardien lui a fait un signe, c'était à son tour. Jeanne est entrée dans la salle.

Elle était là, debout, vêtue de noir. Pas aussi grande que Jeanne l'avait imaginée. Peut-être pas si belle.

Mais elle la regardait.

Jeanne s'est approchée. Parce que le gardien lui avait dit cela avant qu'elle entre, qu'elle devrait s'approcher, ne pas parler. S'approcher seulement, et se laisser embrasser.

Ouvrir ses bras. C'est un geste simple. Le plus simple. Les bras ouverts. Abramović a ouvert les siens, et il a semblé à Jeanne qu'elle était la première, la seule qu'Abramović accueillait comme cela, qu'il n'y avait eu personne d'autre avant, nulle femme bouleversée, nul jeune garçon, et qu'il n'en viendrait aucune autre après. Abramović était dans l'instant.

Dans cette salle.

Dans le présent de cette salle.

Jeanne a senti sa chaleur avant qu'elle la touche. À quelques centimètres elle était. Presque dans les bras ouverts.

Jeanne a dit, Je vous connais.

Abramović a dit, Je vous connais aussi.

Elle a refermé ses bras.

Les yeux de Jeanne se sont brusquement emplis de larmes. Elle a respiré comme Abramović. Contre elle. Dans le même mouvement. Elle a pris un peu de son air en elle. L'a gardé.

Abramović l'a serrée plus fort.

Et Jeanne s'est sentie aimée.

Pas autant qu'elle l'aurait voulu, mais aimée cependant. Comme si l'étreinte avait touché, rassuré, la petite fille inconsolable qu'il y avait à l'intérieur d'elle, cette petite fille émerveillée qui n'avait cessé d'avoir peur et de trembler.

L'étreinte l'avait enfin réparée. Apaisée.

Rien n'arrive par hasard. Tout est imbriqué. Cette rencontre serait à ajouter à la liste des événements importants de la vie de Jeanne, sa vie allait continuer, Rémy pourrait repeindre tous les murs, les filles s'en aller, elle s'efforcerait de faire de chaque jour une vie entière, et de chaque heure, un jour.

On lui avait dit, une étreinte courte, quelques secondes seulement. Déjà, Abramović ouvrait ses bras. Déjà, de la toucher, Jeanne la perdait.

Jeanne a voulu la remercier mais Abramović a fait non avec la tête.

Sur le trottoir, on discutait en buvant du champagne. Une femme en lamé parlait d'un Américain, un très grand artiste, encore plus fascinant que Marina Abramović! Un homme fumait tranquillement, en regardant la rue. Lui aussi buvait du champagne. Il était de dos. Jeanne a pensé à Martin, parce qu'il lui ressemblait et qu'il fumait comme lui, les yeux dans le vague, et la cigarette tenue entre le pouce et l'index.

Elle est restée à fixer ce dos, n'osant pas bouger, prenant un plaisir inouï à cette ressemblance inattendue.

C'est lui qui a brisé l'instant, par un mouvement, se tournant à demi, pour écraser son mégot, lui offrant son visage de profil, à peine, mais suffisamment, un vague sourire sur une bouche qui était épaisse, qui aurait pu être celle de Martin, mais qui était inconnue.

L'illusion s'est aussitôt effacée.

Un mirage.

L'homme s'est détourné. Il est parti le long du trottoir, seul. Lent. Il avait gardé sa coupe de champagne à la main.

Jeanne s'est sentie bien. Elle aurait pu le suivre. Mettre ses pas dans les siens, et voir où il allait l'emmener.

Elle n'a pas eu envie. Elle se sentait enfin en équilibre, comme lorsque, en de rares et brèves occasions, ce que l'on est parvient à rejoindre ce que l'on croit être, et se noue à ce que l'on fait.

Elle a attendu que l'homme disparaisse au bout du trottoir.

Quand il n'y a plus rien eu de lui que le souvenir de son passage, elle a téléphoné à Rémy pour lui dire que tout allait bien et qu'elle rentrait.

La chanson fredonnée par la M'mé, page 62, est extraite d'*Où vont les fleurs ?* interprétée par Marlène Dietrich.

C'est à Christian Boltanski que l'on doit, sur l'île de Teshima, la création intitulée *Les Archives du cœur*.

OUVRAGE RÉALISÉ
PAR L'ATELIER GRAPHIQUE ACTES SUD
REPRODUIT ET ACHEVÉ D'IMPRIMER
EN MAI 2017
PAR NORMANDIE ROTO IMPRESSION S.A.S.
À LONRAI
POUR LE COMPTE DES ÉDITIONS
ACTES SUD
LE MÉJAN
PLACE NINA-BERBEROVA
13200 ARLES

DÉPÔT LÉGAL
1re ÉDITION: AOÛT 2017

N° impr. : 1701608
(Imprimé en France)